人文阅读与收藏·良友文学丛书

舒乙题

原丛书主编：赵家璧

特 邀 顾 问：舒　乙　赵修慧　赵修义　赵修礼　于润琦

出 品 人：马连弟
监　　制：李晓琤
执　　行：张娟平
统　　筹：吴　晞　姚　兰
装帧设计：赵泽阳

特别鸣谢（按姓氏笔画排列）：
韦　韬　叶永和　李小林　沈龙朱　陈小滢　杨子耘
张　章　周　雯　周吉仲　舒　乙　蒋祖林　施　莲
姚　昕　俞昌实　钟　蕻　郑延顺　赵修慧
以及在版权联系过程中尚未联系到的作者或家属

特别鸣谢：
上海鲁迅纪念馆
北京鲁迅博物馆
北京大学中国语言文学系
复旦大学中国语言文学系
中国作家协会权益保障委员会

人文阅读与收藏·良友文学丛书

母 亲

丁 玲 著

中国国际广播出版社

良友版《母亲》精装本封面

良友版《母亲》编号页

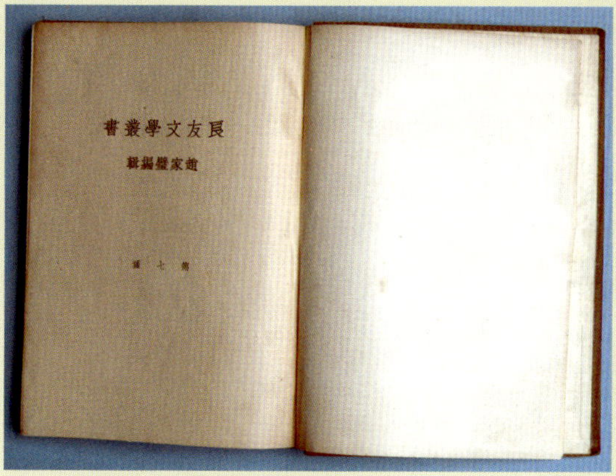

良友版《母亲》扉页

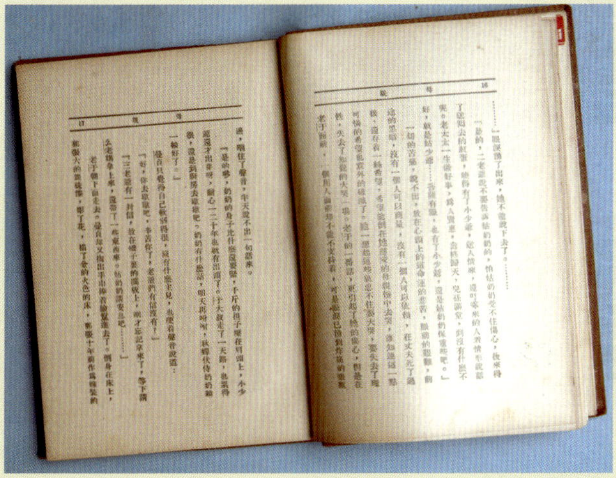

良友版《母亲》内文

良友版《母亲》插图

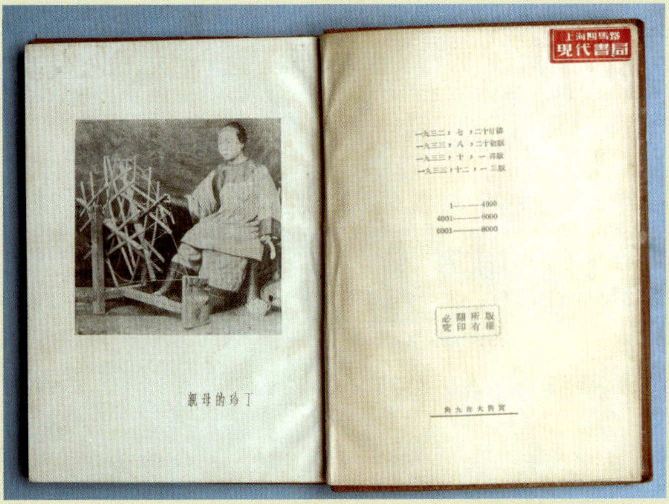

丁玲的母親
上海四馬路
現代書局
一九三三，八，二十初版
一九三三，十，一 再版
一九三三，十二，一 三版
1——4000
4001——6000
6001——8000
版權所有 翻印必究
實價大洋九角

《良友文学丛书》新版出版说明

二十世纪三四十年代，著名编辑赵家璧在上海良友图书公司老板伍联德的支持下，历经十余年，陆续出版《良友文学丛书》，计四十余种。其中三十九种在上海出版，各书循序编号，后出几种则无。该套丛书以收入当时左翼及进步作家的作品为主，也选入其他各派作家作品。其中小说居多，兼及散文和文艺论著；第一号是鲁迅的译作《竖琴》。丛书一律软布面精装（亦有平装普及本），外加彩印封套，书页选用米色道林纸，售价均为大洋九角。

《良友文学丛书》选目精良，在现在看来，皆为名家名作；布面精装的装帧更是被许多爱书人誉为“有型有款”。不可否认，在装帧设计日益进步的当下，这套出版于二十世纪三四十年代的丛书外形已难称书中翘楚，但因岁月洗汰，人为毁弃，这套曾在出版史上一度“金碧辉煌”过的丛书首版已然成为新文学极其珍贵的稀见“善本”。

在《良友文学丛书》首版八十周年之际，为满足现代普通读者和图书馆对该丛书阅读与收藏的需求，我们依据《良友文学丛书》旧版进行再版（四种特大本不在其列）。本着尊重旧版原貌的原则，仅对旧版中失校之处予以订正。新版《良友文学丛书》采用简体横排的形式，以旧版书影做插图，装帧力求保持旧版风格，又满足当下读者的审美趣味。希望这一出版活动对缅怀中国出版前辈们的历史功绩和传承中国文化有所裨益，也希望广大读者多提宝贵意见和建议，以便我们把日后的工作做得更好。

《良友文学丛书》新版校订说明

一、本丛书收录原良友图书公司编辑赵家璧主编《良友文学丛书》共四十六种（四种特大本不在其列），乃为目前发现且确系良友版之全部。

二、此番印行各书，均选择《良友文学丛书》旧版作为底本，编辑内容等一律保持原貌，未予改窜删削。

三、所做校订工作，限于以下各项：

（1）将繁体字改为简体字；

（2）原作注释完全保留；

（3）尽量搜求多种印本等资料进行校勘，并对显系排印失校者在编辑中酌予订正；

（4）前后字词用法不一致处，一般不做统一纠正；

（5）给正文中提到的书籍和文章及其他作品标上书名号，原作书名写法不规范、不便添加符号者，容有空缺；

（6）书名号以外其他标点符号用法，多依从作者习惯，除个别明显排印有误者外均未予改动。

一

是十月里的一个下午了。金色的阳光，洒遍了田野，一些割了稻的田野；洒遍了远远近近的小山，那些在秋阳下欲黄的可爱的无名的小山 。风带点稻草的香味，带点路旁矮树丛里的野花的香味，也带点牛粪的香味，四方飘着。水从灵灵溪的上游流来，浅浅的，在乱石上“泊泊泊”的低唱着，绕着屋旁的小路流下去了。因为不是当道的地方，没有什么人影。对面山脚边，有几个小孩骑在牛背上，找有草的地方行走。不知道是那个山上，也传来叮叮的伐木的声音。这原来就很幽静的灵灵坳，在农忙后的时候，是更显得寂静的。

小菡，一个三岁大的女孩子，小的圆脸上，浮着天真，和快乐。穿一件蓝绸的薄棉衣，跟在么妈的后面，不稳的在菜园里的小路上走着。么妈在那里摘了好些白菜，又走到另外的一畦上，蹲着去掘萝卜。小菡也蹲着，没有蹲好，却坐在地下了。么妈望了她的小脸一下，塞给她一个小的红萝卜，笑着说：

“小菡乖，喂，拿着，玩玩，不要吃，脏呵！”小菡捧着了萝卜，也望了望么妈的脸，全是皱纹，但是她也聪明的笑了。望望萝卜，又去望远远的天了。

么妈摘好了菜，挽着一个大篮子，一手牵着小菡，慢慢的走出菜园。关了菜园的门，一个编着细篾细枝藤的矮门，便又在池塘旁的路上走着。三个鹅，八只鸭子在塘里面轻轻的游。时时有落叶被风飘了过来。她们转过了一堆树丛，走上石板路上时，就看见秋蝉，正在大门外的石坎上晒太阳，顺儿在坪里踢毽子。顺儿一看见么妈便朝大门里跑，却被么妈叫住了：

“那里跑！快过来引小菡。要你陪着三奶奶，怎么我一走就野出来了？秋蝉也不是东西，自己不晓得，十六七岁了，老呆在外面做什么？里面没有人，三奶奶要个什么东西，还得跑出来请你们么？”

秋蝉不敢做声，歪着脸嘴踅身走进里面去了。顺儿笑着来牵小菡，小菡举着红萝卜走了过来。蓝绸的衣裤上，和那白的小的孝鞋上都染了好些黄泥。

“小菡！你到什么地方去了来？”

“同么妈到菜园，有虫虫。”

“虫虫咬手手呢。”

么妈看见小菡已经很好的同顺儿玩去了，便也踅转身朝侧面的厨房走去。厨房侧面还堆着许多木料，那栋横的预备做花厅的房子，还是孤另另的几根梁柱，空空的站在那儿，这还是在春天的时候立上去了的，好久就没有匠人来了。自从春天三老爷病后，这个屋里的女主人就百事都废弃，这座在预计中很辉煌玲珑的小花厅，自然是无人管了。经了日晒夜露，风吹雨打的那些梁柱，都变得有点憔悴了。

么妈在厨房里打了一个转身，便又走了出来。小菡和顺儿还在石坪上玩。黑儿也在那里打着圈子嗅着。么妈望了望天气，太阳已在山上了。于是又喊道：

“带小菡进去，外边有风，天晏了。”

小菡看见了么妈，却扑到她的怀里，要她牵。她蹲下来在那小的嫩脸上，用缺了牙齿的瘪嘴亲了一亲，便哄着她：

“弟弟醒来了，快去看弟弟，妈在喊你呢，听见了没有？”

小菡张着耳朵听了一听，便又笑了，天真在脸上漾着。她用小脚跟着顺儿跑，嘴里伊伊哑哑的唱了起来：

“摇呀摇，摇呀摇，弟弟睡觉……”

黑儿也轻轻的跟在后边，却听见远处的狗叫了，是自己家里的那只大黄狗和小黄狗。于是黑儿也飞速的朝

屋外跑去，hyphen

么妈又举着眼望去，花了的老眼，没有望见什么。停在门口的顺儿，却喊了起来：

“一顶轿子，一顶官轿！婆！”

么妈又把手架在额头上，也望见了。踌躇了一下，自语般的说道：

“是来我们家里的呢，什么人呢？……”

“武陵城里来的啰。那顶官轿正是春天送三奶奶来的啰。”

“唉，怕是的吧……”

一顶轿子，四个人，跳过田坎，绕着小路，又在割了稻的田上横穿着，慢慢的走了近来。三条狗不住的哐哐的吠着，迎到好远去。

厨房里的长庚和老头也走出来看。

么妈走过石板路，在柏树下站着。顺儿牵着小菡，也走了出来。

几条狗和人和轿子都走了近来。

“么老妈妈！康健么，长久没有看见你了。”

“啊，是于大叔，你们老爷和太太好么？你们两年没有来我们家里了，希客呵。来接我们奶奶的吧！”

“么老妈妈！”轿夫也大着嗓子叫着。

“呵，怎么带起轿子来，怕我们叫不到人么？你们老爷真想得到！不过现在乡里人也都空了呢。”

“我们姑奶奶还好吧？”

轿子走到了石坪了。

“抬在厨房里歇歇吧。辛苦你们了！”

一乘轿子向厨房里走去，长庚和老头都迎着笑了起来。轿夫是常来的人，大家都很相熟的，好久没有在一块喝米酒了。

“呵，菡小姐长得这样大了！”

老于走到么妈面前去摸小菡。小菡挣在一边，不做声，又伸着小脸来望这生人。

“不要怕，是舅舅打发来接你的。”

小菡素净的衣着，和小辫上的白绳，以及那静静的望过来的大黑眼睛，和无知的小脸，使老于对她生了很大的同情。

“乖得很！唉，真可怜！她也晓得么？”

“哼，聪明得很呢，看见她妈哭，就跟着跳起来哭，她妈病里头，她就成天跟着我，安静多了。唉，看见她懂事的样子，不由人不心痛……”

“她一带上三灵冠，就跳着哭，一抱到灵面前，也是这样。看热闹的人，好些都为了她哭起来了呢。”顺儿学着她婆婆常常说的口吻插着嘴。

“我们家的小姐大了几岁，还没有这样懂事。唉，这是你的小孙女儿么？这样大了。”

“是的啦，人长志不长，不听话，带小菡都不能让人放心。唉，你们老太太到底是什么病？听说快得很。”

“一个晚上，中了风；到还好，二老爷赶回来了，两个儿子都在面前，三姑奶奶也在面前。就是五姑奶奶，她临终时还再三念，不放心，说姑爷死得太早了，又还不知道有这个小少爷。她老人家五月间一定要来的，是我们三老爷三太太抵死不放，她老人家年纪又上了，又是伏天，身体常常有毛病，怎么能够来？就不来还为挂欠不过病了两场。唉，说没有看见这个小女儿，老不肯落气，真是伤心得很……”

“唉，运气啦……”么妈的眼泪又模糊了眼睛，扯起大袖子轻轻去揩。“好，于大叔到厨房去坐坐喝杯茶吧，我进去回我们奶奶去，恐怕要好几天才能动身呢。”

长庚已经倒了一杯茶出来。

“赶快烧饭，他们一定都饿得很了。先弄一点鸡蛋也好，酒酿还多着。好，我要进去了，等下来陪于大叔吧。”么妈慢慢的朝大门走了进去。顺儿和小菡跟着她。

“她到还硬朗，快七十岁了吧？”老于望着长庚的年轻的强壮的脸上，向厨房走去。

“六十七了。健旺得很，起码还有二十年饭吃呢。”

“她老二不住在这里了么?”

“回去一个月了。住在这里，没有事做啦。”

“你们近来也很轻散吧?”

“事总有事做的，全是碎碎末末的。要搬东西，砍柴，跑腿，我就动动，有时还叫山那边的张大福送信，么妈老说家里总要留一两个人，怕出了事喊不到人吵。年年这时候我们是好玩多了。人又多，常常都可以溜到场上去押宝，赶羊，家里的客也是川流不息……”

“唉，的确安静多了，同从前完全两样……”

他们走到厨房，轿夫已在门口洗脚。灶里已生了很大的火，火苗从灶孔里卷了出来，舐着灶沿，一些青色的烟，便向上飞去了。上面的梁柱，厚的尘污上，不知道挂了好些黑的什么东西。锅子里热着大锅的水。

老于坐下来同他们对着喝烟。热烈的叙着阔别。

么妈走了进去，转过了厅子，到里院就听到从左边的上房，又有着轻声的揩着鼻涕的声音。么妈推了顺儿一下，悄声的说：

“小菡！快进去，妈那里去。”

小菡于是嫩着声音叫：“妈！姆妈!”撒脱了顺儿的手，朝房里跑去。么妈也跟着走了进来。

房子里静静的，几袅轻轻的细烟，从一个小的兽脚的香炉里冉冉的飘了出来。窗格上的细纸，印了冰梅的花纹的细纸，已经变成黄色了。

小菡的母亲，三奶奶，一个二十九岁的，新近死去了丈夫的少妇，悄然的坐在一张近床的大靠椅上，独自的流着泪。她已经听说武陵打发来的人到了。

小菡看见妈又在哭，便骇得收住了笑容，好些话要告诉妈的，也不敢说出来，只无声的去靠在妈的膝前，不放心的喊着："妈！姆妈！"

曼贞（三奶奶的名字）摸了摸小菡的头，便望着么妈。么妈站在下面，细声的说：

"是老于，还带来了一顶轿子，吩咐他就上来吗，还是等吃过晚饭？"

"要他就上来吧！"曼贞说完后，便又从怀里掏出手帕来拭眼泪。么妈转身走了出去，却又停住，反过脸来说：

"我看身子要紧，起床才几天，莫又倒下了，还要回武陵家去呢。"

曼贞没有答应她。她就走出去了。秋蝉从后房里提了一小桶热水来，倒在大的铜脸盆里，又把脸盆捧了过来。曼贞向她做了一个手式，她才又停住。曼贞望了一下小菡说道：

"替小菡去洗洗脸同手吧，跑到一些什么地方去过，脏得很。”

秋蝉牵着小菡到后房里去了。

她自己走到洗脸架边，为自己捻了一把手巾，没有照镜子，轻轻的在脸上揩着。

老于跟着么妈，从侧边的腰门里走进来。只见满堂屋都为挽联裱白了，一直到天井的两厢，到侧厅，前面厅也全是白布的，白绫的联和帐。中间正正的扎了一座灵屋，供着牌位和画像，列着祭品和香烛，和长明灯。桌子前幔着桌围。一式一样不正像现在的武陵家里吗。不同的只有武陵家里供的是一个凤冠霞帔的老太太，而这里是一个儒服儒巾的少年。老于走到灵桌前，自语般的说道：

“唉，还没有替我们姑爷磕头呢。”于是他就跪了下去。

么妈不好怎么样，就看他磕了几个头。才又去回三奶奶。

秋蝉打着门帘，曼贞走出来站在房门外边的石坎上。看见老于自己家里的人，从小的时候，就在她家里的用人，不觉得心里又一阵酸了起来。“呵，姑奶奶……”老于也很难过似的，他觉得半年来没有看见的姑奶奶，像老了十年，在宽大的衣衫里，更瘦了似的。

“噎，家里都好吧？……”

“都好，三老爷打发我来的，问姑奶奶的安，接姑奶奶，小姐，小少爷，转去住一阵，因为二老爷快动身到云南去了。那边家里没人，这次就二老爷一个人赶回来的。”

家里的一些人的影子都在曼贞眼前映出来了。她同她的二哥，不是有五六年没有见面了么？然而她却越觉得伤心了。

“老太太的好事，我都不晓得，也赶不回去，前月才打发人来告诉我……”眼泪涌了出来，她不能说下去了。……

“是的，二老爷说不要告诉姑奶奶的，怕姑奶奶受不住伤心，后来得了送回去的红蛋，晓得有了小少爷，送人情来，还叮咛来的人看情形说话呢。老太太一生做好事，为人贤惠，寿终归天，儿孙满堂，到没有什么不好，就是姑少爷……菩萨有眼，也有了小少爷，还是姑奶奶保重些吧。”

一切的苦痛，说不出，放在心头上的这命运的悲苦，眼前的艰难，前途的黑暗，没有一个人可以商量，没有一个人可以依赖，在丈夫死了过后，还存着一丝希望，希望能倒在她慈爱的母亲怀中去哭，谁知连这一点可怜的希望也意外的破灭了。她一想起这些就忍不住要大哭，要失去了理性，失去了知觉的大哭一场。老于的一番话，更引起了她的伤心，但是在老于面前，一个用人面前却不能不支持着，可是眼泪已涌到炸痛的眼眶边，咽住了声音，半天说不出一句话来。

“是的吵，奶奶的身子比什么还要紧，千斤的担子压在肩头上，小少爷还才出芽呀，耐心一二十年也就有出头了。于大叔走了一天路，也累得很，还是到厨房去歇歇吧。奶奶有什么话，明天再吩咐，秋蝉伏侍奶奶躺一躺好了。”

曼贞只觉得自己软弱得很，没有什么主见，也哽着声音说道：

“好，你去歇歇吧，辛苦你了，老爷们有信没有?”

“三老爷有一封信，放在轿子里的搁板上，刚才忘记拿来了，等下请么老妈拿上来，还带了一些东西来。姑奶奶请安息吧……”

老于朝下面走去。曼贞却又掏出手巾捧着脸踅进去了。倒身在床上，那张大的银硃漆，彫了花，描了金的火色的床，那张十年前作为嫁装的床，还有那锦缎的被，蒙着头，竭力压住自己欲狂的声音，然而也很尖锐惨厉的哭起来了。么妈跟进来劝了几句，却也担心着外面的鸡鸭，猪牛，担心着各处的门户，只好又丢开她到外面去照顾。

顺儿照例的便把小菡抱了过来。小菡痴痴的站在踏板上，靠着床沿望着她妈。顺儿又悄悄的推着她，她便抓着妈的衣服叫了起来：

“妈，姆妈!”

有时是被稍稍引起注意了，伸过瘦的冷手来摸摸她。有时也烦厌的说了：“带到外边玩去吧!”

吃了晚饭，乡里的夜是静的。微风躲在树丛里动。虫在草上爬。一颗松子从树上落了下来打在土地上，又滚下山去了。灵灵溪的水仍旧不断的“泊泊泊”的低唱，愉快的打着一些可爱的小石，又在一些小石上跳着滑跑了。有什么鸟儿在拍着翅膀。家里静静的，奶妈带着婴儿在房里睡着了。丫头们带着小菡在后房也睡着了。曼贞一个人睡在大床上翻来覆去睡不着。堂屋只一盏长明灯，放着一尺来远的光，照着四壁的惨白，更显得怕人似的，对面一大片屋子都是空着。不时有“吱吱吱”的老鼠的叫声。几个大眼的黑猫，轻脚的不断的来巡逻。只有厨房里还留有一些人影，都因为吃晚饭时多喝了一些米酒，人有点兴奋，老头煨了一罐老茶，么妈又包了一包好烟出来，话匣子一打开，就都不愿意去睡了。

“我昨天才从桃源下来，抬张家的少奶奶转去。新少奶奶标致呢，细皮白肉的。”

“是杜家的小姐么?”

“说有病，嫁了才好的。”

“听说是癫病……想男人……”

“真的么，看样子是看不出，腼腆得很……”

“那家小姐不腼腆呢?”

“说杜家有钱，到底是开铺子，那张家的排场才利害。”

“就是刻薄得很，他们家的三百多担田，自己倒种了一百多，春天到他们那里去看，真热闹得很。几百个人吃饭，你看那厨房，一连十几口锅，四个人烧火，好玩得很。就是刻薄，做活的人从没有好吃，我们老大前年到那里，做做不好，还是回来了。么老妈！凭良心说话，主子还是旧的好。”老头表示很满意的说。

“不要讲了，我现在都看穿了。我到江家几十年，伏侍了几辈人，真是忠心为主，我们大姑奶奶出嫁一定要我过去，我心里想，我长在江家，把我许配人，把田把我们种，我怎么好跑到罗家去吃饭，我是从来就把主子当好人的，可是我活到快七十岁了，才看穿他们，什么仁义道德，什么良心，老辈子是有的，不冤枉他们，这辈子的老爷们，可难讲得很。于大叔，你真不晓得我们家一本子经，我们三老爷平日在世，那个不来搅着玩，他手头松，银子不当铜钱花，哼，亲兄弟还没有那么好，家里三四个烟灯还不够，一吃饭，总是好几桌，哼，人一死，鬼都不见了。一来就是赖着要账，几天不走，茶饭款待，还要好膏，吃白不心痛，都是大瘾；人家一个孤孀，家里住些大伯叔子，像什么样子，还是做官人家！后来还是我要我们奶奶请一次客，把四老太爷请来，几个老太太请来，说了好些好话，现住才算安静，讲好了明年还账，族长做保。哼，我现在才算看透了，平日客客气气，有礼貌，对寡妇可就凶了。我不是爱说主子坏话，我在江家几十年，未必全无恩义，实在看见我们奶奶太可怜了……一点不利害，话也不会说，把我们做下人的气死了。又不能替她上前……”

“我们这位姑奶奶，从小就不爱管闲事，只晓得陪老太爷吃酒下棋，在屋子里就绣花看书，对丫头都不大声说话的。三姑奶奶就不同多了。这回我们三姑老爷在任上把眼睛坏了，交谢的事，办了几个月，离京城远啦，都是我们三姑奶奶一手包办，大大小小又盘回来，骡马一大群，不能干那行？做小姐的时候，就出了名的呢。”

“我见过的，我们奶奶出嫁，还是她送亲，噎，不错，口齿利害多了。……”

“可是我们老爷在日就只喜欢这位小女儿，说三姑奶奶把银钱太看重了。实在银钱不看重也不成吵。”

“有钱的人就都把银钱看得重，还是我们靠肩膀吃饭的人，到猫猫虎虎，有口粮落肚，就呼呼睡着了。”这是一个轿夫在插嘴。

么妈又感慨的说了起来，因为她也有许多蹩在肚皮里的不平，常常喜欢找地方发泄：

“我就看见他们乱花钱心里作急。我们三老爷，小的时候就是我带他，脾气我是摸得到的。你说他蠢，他又真聪明，小的时候，那个不夸他，就是贪玩，可是十五岁也就入了学，做了秀才，不算不争气。毛病就在只是那末想方法的花钱，还不是花在别人身上，不顾前，不顾后，你说劝他，他真不会听，我们到底是下人，不好讲话，搅着来玩的，吃吃喝喝的，都是兄弟，亲戚。要我们奶奶说几句，她又总不做声，来了十年，一不问田地，二不问家当，像做客一样，住一阵，看不过家里样子，吩咐轿子就回到娘家去了。到现在，青天霹雳，才晓得完了啦。不瞒你说，只落二十几担田了，还背一身债。唉，不说他在梦里，就连我们也不知道，那里晓得这样快……”

“哦，你们家里就到了这般田地么？我们姑奶奶从没有说过，我们从来不清楚这边的事，只看见她常常回来，不过以为两口子许有点小咭咭哝哝。”

“这个到没有的，我们老屋那边，大老爷那边，是有些吵嘴，可是我们这两个主子都安静得很，一个是公子脾气，细事不管，一个是小姐脾气，百事不问。老爷末，成年在外面陪朋友玩耍，抽烟，吃酒。奶奶末，真是好性子，终日在上房看书，小声音说话，才是相敬如宾。不过江家这一支人，就因为他们人好不理财，而是倒定了的。饭当然还有得一口吃，可是声势是难了。纵是小少爷能像他爷爷一样，二十岁就带蓝顶子，二十四岁就带红顶子，也还得二十年啦，我老头是望不到的了……”老头一边说一边摇头，又感慨的，像什么也无望的那末把旱烟管伸到灶孔里去找火。

灶上的那盏菜油灯，灯心已经短下去了，薄薄一层光，幽暗的照在这几个人脸上。几个老年的，做了一辈子奴隶，然而却是忠心的，他们的脸上都刻着很深的纹络，写明了他们几十年的生活的辛苦，和心地的厚朴，而且还预示了死亡就在眼前，一切无希望。

几个坐在远一点的轿夫，把这家里的一些不幸的运气，听得有点倦了时候，便又自己几人讲到一些流浪生活的事上去了。

“好久没有上津市去了。……”

“哈，挂欠那个叫做玉兰的么？那个丫头不好看……”

“喂，长岭岗的栏杆，你买了么？”

“买了，买了……”

“好处呢？”

“哼，不要讲了。什么鬼栏杆，我又不懂得，同卖杂货的李三儿逗了半天，才得那一卷，我从褡裢里像宝贝一样拿出来给她，妈那格屄，还嫌不好，又是什么颜色不对，花样不对。真是，肏他的，你又不是我娘，孝敬得还不好？我就也把眉毛一横，卷起栏杆就走，死猫一样，她就又软在你身上了……”

“哈……那婆娘是有一股子浪劲呢，伙计，要当心呀！……”

长庚听他们说得很有趣，可是和自己的主见总有点不合；他是一个佃农的儿子，虽说从小就到江家来，都还没有出过村子，至多也不过溜到场上赌点小钱，他用一般的最普遍的逻辑来给了他们的警告：

“我看还是少花点血汗钱，到嫂子那里去住住不好些么？俗话说得好，‘家花没有野花香，野花那有家花长’呢！”

“哈，长庚哥：没有轿抬了，家花也不长呢！……”

“年纪青青的，不老实，又不是爷们，学什么坏，趁着力气莽壮，落几个钱，老了也有下梢，未必就连家也不要？你们这辈人就这么不长进，我们老大老二就也是这样，总不想挣钱，只可怜两个媳妇；我倒还好，主人总肯收留，一张嘴是不愁了的。……”

“么老妈妈！我们是不长进的，只是到底又花了几个钱？还不到别人的一点脚痂呢。流了一浪血汗，总也想快活一下，老婆又隔得远，一年难得回一趟，路边有野食，管他娘好不好，检起来吃了再讲，有罪过也不多吧，横竖又不是什么黄花少女，……要挣钱，倒也难，你也不必骂你们老大老二，根本大家不缺这口子粮，就感谢天了。譬如你，不就苦了一世，到现在还是靠主子，怕你几根老骨头还得你们奶奶替收拾呢。”

说得大家都笑了，么老妈也只好笑着答应：

“你大哥倒利害！我是命里注定奴才命，怎好和我打比？你们年青人前程远大！”

灯里的油，干了下去，亮光就愈来愈暗，而哈欠也随着一些话语来到唇上了。

“好，大家睡了吧，于大叔那边开得有铺，被袄都是干净的。长庚引轿夫到你房里，也有现成的铺，走了一天路，歇歇吧。明天杀三个鸡，不必去买肉了。乡下就只有小菜，再吗蛋，比不得你们城里。三老爷在日，家里人多，要东西还方便，待慢了，不要见怪吧，不要拿到城里说笑话，说我们小气。我们奶奶是贤惠的，就只没人手，喊起来不灵。”

她一边说着话，一边撩起大袖子在灯上点了一个纸捻。纸捻上的油爆着小小的花。动着弯了的腰肢。一双没有裹小的脚，运着她慢慢的转了几个小院，到正屋去了。

“这屋里的总管家呢。一切都是她作主。说什么就得听什么，三奶奶也全听她呢。”

“怕我们姑奶奶没有她就不行了。”

“那是真的，家里出了事，才看出忠心来，她儿子是没有她有良心。我们请来的人都还好些。她们一家人才真是奴才呢。她和她男人都是太老爷买了的，替他们配亲，给嫁装，给田地，添子添孙都送东西，像这样也算修到了。只要她不死，三奶奶还是有帮手呢。横竖三奶奶人好，一切好商量……”

“唉，可惜是个老妈……”

声音随着灯光灭了。在黑暗里便又响起了大声的鼻鼾。夜更显的沉寂。只有猫头鹰在树林里“咻……咻……”的叫着。

老于一连在这里住了好几天，成天没有事，就带着小菡在大门外晒太阳，有时又背着她走到一些田陇上去，或是跑到对面山上去看砍柴，或是去找看牛娃儿玩。他虽说也是种田的出身，可是自从三十岁跟于家老太爷上任去就离开乡土了，长年都在一些城市中跑，住在高堂大屋里，却总没有矮茅屋里自由和舒服。这次来到灵灵坳，虽说是初冬了，乡村还是觉得惹人爱。小菡已经同他搅熟了，又爱说话，又爱东拉西扯的唱，所以他到很快乐的住下了。轿夫们就闷的慌，好在主人不爱惜米酒，就天天喝醉了睡。一直等到第四天，大家才又抬着空轿子回去。因为三奶奶又病倒了。走的时候连老于也没有见着。只从么老妈传出话来，吩咐转去问老爷们好，自己病的很，不晓得几时才能回来替老太太磕头。这里小姐还乖，就是小少爷，乡里请不到好奶妈，又多病，城里能够找个好的，就送一个来。

天气渐渐的冷了。曼贞还是大半时候在床上，已经又转成疟疾了。长庚又跑到三十里外去请大姑老爷。大姑老爷又赶到城里的观海老爷家去了，那边姨太太正生病。这罗家一家人都不懂规矩，势利，还是大姑奶奶吩咐了，他们才留长庚吃汤团。大姑奶奶是能干的人，绣花有名的好，又快，又会出花样，可是二十年的媳妇一做，被婆婆压到了，丈夫管不牢，儿子媳妇也管不牢，在家里也是呕气时候多。她告诉长庚过几天会收拾东西回来住一阵。长庚听到这个消息，也就满意的走了。

猫猫虎虎由长庚在场上请了一个土郎中，糊糊涂涂吃了一点药，也就又慢慢的好了起来。这时大姑奶奶也回来了。

大老爷那边的大少奶奶因为平日同这个婶子特别讲得来，也顺路到这边来住几天，因为她刚从娘家来。一个人又带了一个小丫头，两个轿夫，所以这屋子就显得热闹了好些似的。

大姑奶奶是同死去的三老爷很相像的，有两个大眼睛，一个尖下巴，鼻子顶端正的。人瘦得很。脚小到只有二寸多，伶伶巧巧，端端正正，不是大户人家那里能裹得出这样出色的脚。这位姑奶奶又是很会打扮的，所以虽说四十多一点了，穿得并不花梢，还是很好看的。不过这个弟媳妇并不能使她满意，尤其在发现了他们的可怜的家产之后，她把破家的罪恶都加在这做妻子的身上。而且她听了家里一些小话，也疑心弟媳的私蓄是在增多了。不过她懂得她是应该回家住住的，做着长姊的她，纵不看弟媳也应该看在那婴儿的面上，对这家做得仿佛关心点似的才像样。同时又隔远了儿子媳妇们的吵闹，清闲几天到也是很好的。加之小菡又乖巧，会骗人，使个个人都爱地，譬如大姑奶奶问："小菡！你那个儿子?"她就会张大眼睛望着她姑母，鼓着小嘴笑着说："我伯伯儿子。"她是叫她伯伯的。

曼贞也已经起床了。在女人中，她是一个不爱说话的。生得并不怎样好看，却是端庄得很，又沉着，又大方，又和气，使人可亲，也使人可敬。她满肚子都是悲苦，一半为死去的丈夫，大半还是为怎样生活；有两个小孩子，拖着她，家产完了，伯伯叔叔都像狼一样的凶狠，爷爷们不做主，大家都在冷眼看她。有两个妯娌是好的，譬如二婆婆也是可怜她的，却不中用，帮不了她什么。靠娘家，父母都死了，哥哥也到云南去了，兄弟是能干的，可是小孩子多，而弟媳……靠人总不能。世界呢，又是一个势利的世界，过惯了好日子，一天坍下来，真受苦。而且哪怕你穷，可是不能摆穷样子，不是都要骂你，要嘲笑你，门面要紧，亲戚又多，应酬又多，一年到头红白喜事就不知多少场，你有事别人来过的，不能不还席，东西送多送少都是学问，不清楚弄错了，也是挨骂的。人来人往的款待，待慢了，鬼都不会上你的门，讲出去，难听得很，你也要求人的。比方大姑奶奶回家住几天，是自己人，家里又没人手，猫虎点，讲起来也不要紧，可是大姑奶奶就不讲，丫头轿夫们的嘴也难免了。人要替别人作想是不会的。亲戚妯娌太多，丫头老婆太多，都等着错处抓经呢。所以虽说只来了两个客，都是自己家里的，都也够忙了。上头有上头的款待。下头有下头的款待。而且大姑奶奶是有瘾的，大少奶奶偷着也欢喜玩这个，总要有好膏。吃烟的人又喜欢吃点心，于是不得不要长庚，长庚不得空，就请山那边的张大福到场上去买点心，还要泡上好的浓茶。连丫头们，一点也疏忽不得。幸好这屋里有一个么妈，什么事都内行，都想得到，嘴也会说，别人要怪也怪不去。曼贞就把一切事都交把她。说靠人，就只这一个老妈妈可靠，可是只能把杂碎事交把她，而那支持着这一切的银钱事，却还悬在空空的，谁也没有把握。她忧愁着这些，还忧愁到许多更远的，只是纵是亲到自己的姑奶奶，她也觉得没有说的必要，因为她并不能给她什么帮助。她明白一切都得靠自己，而自己又软弱无能，她就不向别人说，不在别人面前流眼泪，只放在心上一人作急，让好了又病，病了又病。所以在有客人在家，到也并不显得怎样落漠，她总是打着精神，从不用眼泪鼻涕来难为人的。

表面上日子过的是还平安的。不会忘记装香，秋蝉顺儿都记得，一天三次不要人喊，就会带着小菡去磕头的。茶水的事，秋蝉到也很会侍候。几个太太们大半都在房子里，烟灯旁讲闲天是非常有趣。闲话的材料多的是：这房，那房，这家，那家，总有一些新闻。有时候讲厌了，大少奶奶就念一段善书。什么雷劈不孝媳妇，贞节女有好报哪，她们又要为这些事感叹半天。大姑奶奶是吃了做媳妇的亏的，她不敢埋怨死了的婆婆，却要常常讲到这些的：

“现在家里规距究竟松多了，就是于五妹也算好，过这边来的时候妈已经去世了，叔婆伯婆总客气些。唉，我当日是磨难的很，成天眼泪向肚里流，回来告诉妈，妈也没有法。放人家，别放给姑妈做媳妇，放给姑妈做媳妇是最苦了的。现在我们那二位少奶奶，可就舒服，要一个孝顺的也没有，我想想菩萨有报应的，也就让她们算了。”

大少奶奶和曼贞也不知有多少做媳妇的委屈，都不便说出来，只好顺着她说。这位姑奶奶管媳妇是不很利害，可是对娘家的人并不猫虎。三个弟媳妇，她就没有一个满意的。尤其是头两房，大家都是面好心不和。

有时善书也听厌了，因为好些都是重覆的，而且晓得太多了，于是大姑奶奶又说：

“五妹！还是你讲点故事吧，你看的那些什么外国女人的书。像从前你讲的一个什么从军的女人就好听。”

曼贞实在没有这个兴致，却也勉强的凑了一个，因为好些都忘记了。

小菡也常常跑到烟灯旁边来，大姑奶奶在灯上烧栗子给她吃。她喜欢玩那些象牙的玲珑的小烟盒，她爹在日，也总是在客厅里的炕上玩的。而且一当着曼贞不在面前，大少奶奶便问她：“小菡，你爹到那里去了？”

“到东洋去了，要跟小菡买毛狗，买娃娃，买叫子，买花衣，爹喜欢小菡。”小菡便张着快乐的大眼笑着。

“是婆告诉她讲的。她一点也不挂欠。有时候她把这些还去问三奶奶，三奶奶忍不住就又哭，她骇了就也哭起来。她有时候聪明，有时候糊涂。”顺儿为她解释着。

“唉，真作孽……”

小菡又跟着丫头们悄悄的跑到好远去玩，采一些野菊花，也采一些野菌，玩了一会也就揉着丢了。又跑到灵灵溪去拣石子，大家衣袋里都兜了好些小巧的蛋样的石子。家里园子里的柑子已经结得很大了，有些在黄起来，她们就爬上树去摘了好多下来。味道还酸得很，吃一些，又糟蹋一些，小菡也酸得摆出一付苦的脸。她们又跑到竹园里去玩。这片竹园虽说远没有老屋那边的大，却也占了四五亩地，竹子又生得密，所有也就好玩极了。几十只鸡也都在这里驰去骋来，用脚刨松那些有落叶的土地，找肥大的虫儿吃。有时黑儿也跟着跑来了，它一跑到鸡的面前，就连那些黑缎子毛的公鸡也叫着跑开了。顺儿和着大姑奶奶的秋菊，都是最顽皮的孩子，学着一些看牛娃儿抱着竹子溜了上去，还从这株树尖结到另一株树尖去。秋蝉在底下骂着：

“跌死了你这两个小鬼，看你婆晓得了不搥你我才信！搥死你不值，可不要连累我，你婆又得骂我没有看住你！还不快下来！秋菊，你看我要告诉大姑奶奶的！”

两个在树上的还尽笑，装着没有听见，老喊小菡看她们。后来怕秋蝉真的去告，才不高兴的又溜了下来，秋蝉又带着她们到草园里去，今年的草少极了，只堆了两堆。新的，金黄色的稻草，在太阳底下晒着，真有说不出的一种使人高兴的香味。这里有几块大石磴，于是便又围着捡子儿，常常玩得忘记了，没有人去管小菡，小菡就一人走得很远，一个蚱蜢，或是几个蚂蚁，或是一群麻雀，就同她玩得很熟的。

大少奶奶不敢在这里多住，只住了三天便要走了。走的头一天晚上特的又同三婶娘两人坐了半天。她说：

"三婶！一切只有看开些，么叔那身子是早就有数儿了的，横竖都是命。我们亲房是不多，你大姪儿也最和么叔搅得来，他们小时是一块儿玩的，也从没有分过叔姪。就是我，算同三婶有缘，过这边来了，虽说没有同三婶儿时好好住一晌，到底大家心里都明白，谁在谁背后都是说好话儿的。我们那边的事，三婶也明白，你大姪儿是老实人，我们妈又不管事，儿子都是菩萨，只有嫌自己供奉得不周到。那两个飞天王，从前有爹在，还有一点儿顾忌，只敢偷着拿家里的东西去卖，现在可不同了！老二媳妇进了门，只希望会好点，谁知更坏了，哪一天两口子不吵架，老二媳妇也是没有什么家教的，一有了委屈就跑在妈面前哭，妈又没有法，就抓着你大姪儿骂，说是没有管的兄弟们，又抓着我来骂，弟媳妇不好，怎末怪得我？我们是妯娌，平班平大，看到她那末会哭会啼，连客气还来不及，深怕不小心挨了她呢。

所以，三婶，我说，我们俩的命也差不远，日子长着，怕我们那边不会生花样吗？明年老三也十六岁了，妈说要赶早把么儿媳妇接进来，我是赞成的。我这话也只同你说，他们三弟兄还是早分早好，免得将来大家都饿饭，横竖做哥哥的管不了兄弟，还不如趁早分开，将来要是哪个完了，也有一块地方让他坐着吃总好些。可是妈总不愿意，我也说不出口。日后看吧，我要有三婶现在这样才算是运气呢。……”

这些话也并没有说过分，曼贞心里何尝不明白。大房里也是一踏糊涂，大老爷在日，几十年花天酒地，把弟弟们带坏，把子姪们带坏。大奶奶年轻的时候也不算不精明，可是做丈夫的更有计算，左劝右劝又买些顶精致的烟具，甜言密语，就把大奶奶也拖进去了。人一有了这个毛病就没有什么好说的了。大少爷叫宗铎，从小是和么叔在一块念书的，后来又挨着他二叔住，二叔勤勤恳恳教他书，算是没有染到一些坏脾气。十二岁就跟着么叔入了一趟场，明知是考不取的，因为听说是要废科举了，以后没有机会参加这样的盛典，很可惜，不如这时跟着么叔去跑一趟，小孩子看看场面。所以虽是连秀才也没得着，到没有人笑他。二少爷叫宗铮。三少爷叫宗错。这两个少爷真是宝贝，论天分只有比他们大哥高，可是从小就失了管教，自由自在，十二三岁的时候就有本领偷了舱屋里的谷子卖，当着叔叔们，爷爷们又装成再也没有那末听话的样子，开始没有人肯信他们是坏孩子，后来慢慢竟出名了。但是也还是没有人管得下，后来二老爷又出门了，音信都没有，说是看破红尘做和尚去了，连自己的六岁的儿子宗铭，三岁的女儿都不要了，还说什么姪儿们，所以这两位少爷就连书也只是马马虎虎读的。曼贞是懂的大少奶奶的苦处的，却也只好安慰她：

"你真太会想事了，那里就会到那步田地，宗铎人很好，你们都又年轻，有什么愁的，只要宗铎挣一把劲，就够了。爷田祖地是靠不住的，你看我们就是个榜样，你总比我强多了，我连个帮手都没有，我要是个男人我一点也不会怕；可是像现在我也还懒的去想，池塘边洗藕，吃一节洗一节，到哪里说哪里，事情哪里就会正如你想呢？"

泥菩萨劝土菩萨，两人互相安慰了一阵，才各自睡了，却都又挑起了许多心事，都没有好好的睡觉。第二天吃过早饭大少奶奶就坐轿子走了。大姑奶奶还要她回去商量一下，最好她能到这边来过"新"年，陪陪三婶娘，她也答应了，只要她婆婆肯，她是最愿意没有的了。

家里少了一个人，就像冷清了好多，幸好大姑奶奶还住在这里，大姑奶奶又是一个有趣味的人。武陵城里又来过人，又送了一个奶妈来，奶也不见得好，就两个人奶一个。天气又渐渐冷了，房子里生了火，有了火就又热闹些，大姑奶奶又打发人回去拿了小毛衣来，正打算还住一阵，家里的媳妇却正在这时打发人来接了。这天她刚刚吃完饭，还在喝茶，从厨房走来的么妈就说道：

“大姑奶奶家的毛头来了，是大少奶奶差来的，一定要请大姑奶奶回去，小姐也带了信来，说是一定要接回去才好。”

曼贞赶快接着说：

“什么事，这末急？前几天回去拿衣，就是说还要住一阵，好容易回来住住，总是她们催，没有什么大不了的事，伯伯就还是打发毛头回去，住到你姪儿的百天吧。”

“是这样的，住在家里像多了我似的，躲在外边住几天，又嫌我享清福了，我就是这末一条命！么妈！你叫毛头来！看看再说吧！”

毛头急急忙忙跟着走了进来，替两位太太请了安，问了好，才结结巴巴的说道：

“接奶奶回去。”

“有什么事吗？”

毛头望了三奶奶一眼，才答道：

“是的，昨晚上家里打坏了人，大少爷吃了一点酒，把交租来的人打坏了。”

“那有什么大不了，哪一年不是同他们搅不清，要打人就得有办法，我又不是郎中先生，我回去有什么用，告诉他们喊他家里人来抬回去，未必就打的动不得了，大少爷又不是行武出身，有什么慌的?”大姑奶奶经练很多的，当然不会一下就被这消息吓着。

“是，打得是有点利害，是张伯祥的老子，上年纪了。他的儿子媳妇孙子一清早就都赶来了，哭哭啼啼，大少爷不管，骑马进城去了，家里没有人做主，老爷还在观海老爷家里，怕那边不肯放回，所以大少奶奶一定要请你老人家回去一趟。”

张伯祥的老子总有六十岁了，他家替罗家种田总也有六十年了，是他们祖父手里就种起的，素来是很好的，这几年他们因为死了一个儿子，有些活就忙不过来，儿女又多，就只好欠租了，年年总是缠不清，总是把老头子耸来说好话。罗家也还不是那些十分横蛮不讲理的人家，看到老头子的面子，好好歹歹也就让了他们一些，这年不知怎么却弄翻脸了，年老人吃了那末大的亏，到底也不知道打得什么样子了，大姑奶奶一听是张伯祥的老子，也吃了一惊，却只得装着一无其事的样子又说道：

“已经打了就算了，喊他们抬回去。叫张伯祥懂事一点，他摸摸良心，待他们只有太好了的，少爷们吃了酒，失了手，脾气是有的，难道还要少爷们替他陪不是吗？我这几天不得回来，年里头再叫张伯祥来一次，我有话同他说。罗家坪上的药铺里，要他们去拿草药，说是我们家要的。听清楚没有？就是这样。”

毛头还想说什么，又不敢，只好退下去了。

曼贞心里很难过，张伯祥的老子，她也看见过一次的，真是一个忠厚可怜的老头子，但是她也不好说什么，在这些家里吃醉了酒打人，并不能算作新闻，像梅花桥的三爷爷那里，每年还不知道打多少人，厅子里还设得有公堂呢。这时大姑奶奶才又叹气道：

“五妹，你看我怎么能离开家，真是无法无天，张伯祥的老子那末大一把年纪，怎么就好动手打，一定打得很重。我们不是刻薄人家，书香子弟，讲出去还好听？并不是怕张伯祥，他自然不敢怎样，只是名气不好，还以为我们为一两担谷，来打伤老人。媳妇们真笨极了。我还是得回去看一看，叫他们预备轿子，我去吃两口吧。”

吃烟的时候，大姑奶奶又唠唠叨叨的骂儿子媳妇们，曼贞又留了她，她一定不放心，所以匆匆忙忙就清理好东西，回去了。

这事听说张伯祥的老子因为人老了，腰上吃了一门杠，虽说不顶重，却受不了，当时就吐了血，第三天抬回去，第四天就死了。罗家给了他们三十吊钱也就算了。张伯祥为了这三十吊钱还磕了头，道谢呢。怨恨也有的，却只埋在心上，总有一天要爆发的吧！

家里的客人刚走，正好休息一下了，谁知那婴儿却很利害的又病了起来，是出天花，真是把一屋人都骇死了。曼贞几乎有十天没有睡过，一颗心成天都是紧紧的，空空的，不知怎么样才好，么妈说应该这样，她就这样，说应该那样，她就那样，请了一个医生住在家里，才算找到一个作主的，可以相信的人了。这个医生是死去的三老爷的一个老朋友，常常住在这里看病的，小菡喊他汤伯伯，从前也是多半只有小菡陪他，现在还是小菡来陪他。他过足了瘾的时候，就告小菡一些《聊斋》上的故事，把一个小孩听得大张起眼睛动也不敢动，他又告小菡一些短诗，所以小菡便成天唱着：

“打起黄莺儿，莫叫枝上啼……”

好容易才脱出了危险，婴儿瘦的非常可怕，只剩一点点无力的软皮铺在一些嫩的，看来欲碎的小骨头上，本来又不是足月的小孩，头发也没有，脑上的脉管在皮肤底下一下一下的动着，看见使人心痛。两个奶妈这时又把奶稀少下来了。么妈很心痛的每天替她们杀鸡吃，也没有用。饿着的婴儿，便成天哭着。这样的劳瘁，这样的情境，于是曼贞又病下来了。发烧，七八天都是只知道昏昏沈沈的睡，人也认不清，满嘴不时说一些胡话。一到了晚上，这家里就更显得怕人，小菡在坑上睡着了，医生还躺在灯盘这边看一本《阅微草堂》，么妈就轻手轻脚走了进来，站在坑沿边，低低的说道：

“汤老爷，我们奶奶还是那样子，请再去看看脉吧。你老人家看，不怕吧？她是去不得的，可怜这两个小的。你老人家再喝一口去也好，精神好点，唉……”

医生是宽慰她们的，也的确是细心的，每回去看脉时走过堂屋，都看到那死去的朋友的遗像，他也不禁有一阵凄凉之感，当然下药是更谨慎了。

“好，就再去看看吧，是不要紧的，就是来头凶得很。你放心，包在我身上好了。”

他们擎着一个八方的小纸灯笼，两人摸摸索索从前厅走到堂屋来。堂屋里阴惨惨的一片灰白在长明灯的薄弱灯光下。屋子里也是一样，虽说在一盏小的茶油灯之外，又加了一只半斤重的腊烛，而那一些寂寞的家具，却仍然不能有一些生气，厚的髹漆上，一闪一闪的映着跳动的光，和着病人的战颤的无知的呻唤。婴儿在隔壁屋子里也叫起来了，是什么东西在梦里也给了他惊骇吗？

又重新写了药方，连夜又赶着煎了。么妈的二儿子也住过来了。么妈家的隔壁的一个妇人也赶来了。还带着她的八个月大了的女儿。奶妈们拿米汤稀饭，糕，喂她。她拿她的奶喂这瘦小的婴儿。小菡每天被么妈逼着替她死去的父亲叩头，替爷爷，祖先叩头，替天地灶神菩萨叩头。么妈又亲自上二十里外的一个观音庵求了水，许了愿心，病人终究到年边也就慢慢转弯了。病一转弯，希望便又来到了。小菡每天当她妈稍微好一点的时候，就要到榻板上玩一会儿，环境使得她成了一个懂事的孩子，唱一点刚学会的短诗，又唱一大段山歌，零零碎又学一点故事，那些充满了怪诞恐怖了她的脑子的故事。在丫头们，么妈们的指示之下，她懂得了她是应该取悦于妈的，要亲热她，却不能闹了她，当妈厌了或是倦了的时候，她就该离开这间房，到汤伯伯那里去，或是躲在后房里，或是跟么妈上厨房去玩玩。婴儿也稍稍养得好了一点，薄薄的有了一点点肉，也常常在把他喂饱之后，便抱到床边来一会儿。他也居然懂得望着那倚在床头悄然出神的母亲，微微的露出了寂寞的笑。他也有像他姊姊一样的那双大而圆，灵活而清澈，静静的望过来的眸子。这是死去的父亲的眼睛呵！这些温柔的慰藉，慰藉了那个做母亲的脆弱的，伤感的心情，人事的一些小小纠烦，又把这走到死境去的母亲拖回来了。唉，你这个可怜的小东西呵，你这个一生下来就没有父亲的，你是这么孤伶，世界是这么强暴，但是，小东西呵，傍着你的母亲，不要怕，她一定要保护你，使你强大起来的呵！于是她喊奶妈们在床面前，生大了火炉，很舒适的替婴儿洗澡。因为她知道他的洗澡是太稀少了。她又叫丫头们替小菡也换了衣服。她还不能起床时，便又一桩一桩的为这些事忙着了，这些使她温柔的琐碎的忙碌。

汤伯伯是更清闲而寂寞了，小菡现在不能成天的陪着他。他也很快乐，他的确没有疏忽过，他为亡友而觉得很安心的。他留下了两张药方，就回家过年去了。

这里，这灵灵坳却也在悲伤中支持着，渡过了这一个怕人的冬天。北风在瓦上叫，雪光瞪眼映着那死色的，凉透了的空阔的堂屋。度过了许多长长的冬夜，度过了许多讨债的难关。而也随着阳光，随着风，随着山上的小草，随着鸟儿的啾啾，溪水的泊泊而一同走到春天来了。春天的忙迫是只有更多的，可是春天会带来勇气给这些在窘苦中的人的。

二

曼贞家里也是像好些人家一样，大半田地都是租给佃户们的，但是为了乡居的方便，为了家里闲空的用人们，为了农家的趣味，总是留了大门外最靠近家的几石田自己种的。在往年，因为人手多，便也种得多些，到这一年，就只剩长庚一个人了，田也就只预备种一石来种。其余的也分给别的佃户了。虽说只剩了长庚一人，长庚仍旧是一样的高兴。每到天快要亮了的时候，清凉的晨风，便悄然走到他的小屋，于是他醒了。他吹着口哨，披起短棉衣，便走到厨房，灶上还有灶马在打架，他开了侧门，便站在石坝上走了起来。鱼肚白的天空，变幻着千种的云团，青色的，紫色的，黄色的，红色的，金色的，而太阳在山的那方升起来了。后园子的鸡都高兴的叫着。于是长庚朝屋外走去，一条狗悄悄的随着他，又一条随在更后面。风送来什么香味呀，是春的气息呀，是那带了露水的潮湿的泥土的气味呀。多么惬意的空气呵！春天的早晨是冷的，但是他没有觉得，地下的泥土是湿的，他也没有觉得，他一亩一亩的绕着田陇走去，土是苏醒了呢。那上面已经在转了颜色，有紫芸英的芽了吧。于是他便又想着那紫色的小花开满田地的时候的景色来。太阳会照在那上面，有小蜂来徘徊，而他呢，他便学着他父亲，坐在那高坡的地方，环望着周遭，那远远近近的紫色的海，敞着胸前的纽扣，燃着刚刚学会的旱烟管，幽然的凝视着，而且想着：动起手来吧！实际，他也不能再休息了，一天要比一天的忙，辛苦起来了。但是这样的忙是有结果的，当他站在禾地上扳着稻穗的时候，那金色的谷粒撒到桶里去，以及当他一石一石的从田里往家里挑的时候，那心中是充满了多么的高兴呵！么妈总是用花布包着头，站在路口边来欢迎他，安慰他，她还会倒一大碗凉茶给他，虽说这些谷子并不是他的，而是他的主人，他称着老爷的，但是谁能说这田地，这谷子不是他的呢？只有他爱它，像对一个自己的亲生子，那末朝夕不离，他耕着它，他站在它里面，它用温柔的湿的泥水浸在他的脚上，他在梦里还不忘记要它受荣养。他收获了，挑到老爷的仓里去，而老爷们并不爱它。当它变成了米，在大锅中沸着时，喷出不可形容的香味，只有他才会在心中发笑；或是当它又运走时，被主人卖去还债时，也只有他是何等的懊丧呵！他是一个佃农的儿子，又做了长工，他从小就在土地中生长，没有经过天干水涨。而雇主又是宽仁的，所以他到是一个乐天安命，肯卖力气的，青年伙子。

么妈也像恢复到了青年，她不停的四处穿走，她分配每一个人做一些什么事，连极小的事她也不会忘记。她的二儿子回去了，可是她的小外孙又来了。因为他已会看牛了。他还可以做一些其它的事。她又在每天晚上，当一家人都睡去了的时候，她便要悄悄的站在曼贞的背后，她会说：

“奶奶！我说，我们今年多孵它一点鸡吧，不要像往年糊糊涂涂糟蹋了，挑到城里去，说要卖二百多钱一只呢。就是蛋也五钱一只。”

曼贞望着她笑笑，她不答应她，她从来不会想到她们应该要做鸡贩子的。她知道她的好心，却以为办不到。

但是她还要说下去：

“不只要多孵一两百个鸡，就是猪仔也要多养些，剩饭，剩菜，泼了也罪过，家里糠也现成的，现在老头，又没有事，到秋天也是笔大进账呢。奶奶别看不起，现在不比往日，总要盘盘算算过日子，有些空架子，就正好收起来，少些应酬，就少些开支，要排场要热闹，日子在后边，只要小少爷争气，还愁没有么？”

曼贞有时也会有点心动了，她答她：

“这些我都不内行。假若爷爷们说话呢。”

“那怕什么，他们到了这一天，也只得这末呢，卖点家里多下来的东西，做做零用，也说话！要管闲事，就得一齐都管，爷爷们又不会替你抚孤？还会像往日，老太爷那时是不同，那时的叔叔们才真像儿子待他，他也就不枉了他们的苦心，挣来的功名也就不小，算对得他们住了。我看，都得盘算一下，秋蝉也空着，我几时都想把去年收的花子托人换点棉条，一天总也好拉出一点纱来，我空了，奶妈空了，也好拉拉。还有就是奶妈也得喊走一个了，说是大锅里的饭，究竟能省得一口也是一口。奶奶当然这些事都不懂得，那奶奶就不管，让我老婆子做去就是，只要奶奶说声好。屋子里总有个主子，我到底不过是一个奴才。”

“依你说，那就随你吧，只是不要让大家都晓得了，说我们家这样也卖那样也卖。”曼贞自己也实在没有更好的计划，她除了能够替孩子们想到新衣的添置，就不懂得想到更远的地方去，她不过只有一个吃苦的决心，为了孩子们的生长，她可以捐弃她自己的一切，命运派定她该经过多少磨难，她就无畏的走去。其实她是连所谓苦，怎样苦法，都是不清楚的。

奶妈真的就被喊走一个了。走的时候，曼贞送了她两件旧衣，量了三升米，红薯和芋头也装了一篮子去。秋蝉也呜呜哑哑的坐在后房里纺起纱来了，开始还觉得好玩，过后就懒起来了。于是么妈就走过来骂道：

“你以为是替我纺的？你以为明日嫁出去就不要衣穿？奶奶该拿多少钱进城替你去买么？”

于是秋蝉又继续纺去了。曼贞一人坐得没有事，从前刚嫁过来时，也好玩试过几回的，于是她也便走去看秋蝉。秋蝉懂得了她的意思，便说道：

“奶奶也会么？要不要试试？”便赶忙站起来。

奶妈也凑趣：“容易的很呢，我看奶奶没有弄过。”

“会的，怎么不会，恐怕还纺得好些呢。”曼贞便坐了下来。果真她纺得很细，纱又匀，到底她的手轻，可是只几下，手就抬不起了，于是她又丢了它，看看别人纺到也有趣的。

小菡成天跟着么妈四处跑，把猪食狗食，喂鸡喂鸭，到菜园去，到后园去，看做山芋粉，看磨米豆腐，看冬笋坏没有，看装杂粮屋子里的鼠穴。么妈带着她，便要告诉她许多。有时她就跟着顺儿。有时也骑在老头肩上到池塘的那边采一些梅花，又采一些李花回来，供在灵座边，也插一枝在妈的房里的花瓶里。她不出去的时候，就靠在妈的怀里，唱歌给妈听，奶妈们又教了她许多新的。她又喜欢弟弟得很，常常用小指头去摸那嫩脸，小的弟弟也会同她说话了，“哦，哦，哦”的学着她。她笑，弟弟笑，于是妈也笑了。

这里的春天，虽说爱下小雨，却更多好的太阳。只要是晴天，便暖烘烘的，穿薄棉衣还觉得热呢。有几次在这样的好天气里，么妈便来劝道：

“奶奶，桃花在炸苞呢，大门口走走吧。今年的雨水不错，旧年的那场大雪就下得正好，你去看看吧。外边虽说有点风也不要紧的，走走人会心宽些，要秋蝉扶着你。”

曼贞望了望窗外的阳光，便高兴的答应了。于是带着秋蝉，顺儿又牵着小菡，跟着么妈，一行人就出发了。刚一走到大门边，三条狗又加入了这行列。

“呵！真是春天了呵！看，我多久没有出大门了，景色真是全变了呀！靠池那边一排红的就是桃花么？那年陈家花园送我们的两株玉兰，没有谢吧？”

“那不是桃花，是紫槿，桃花不是挨着菜园那边路上么？呵！老屋的花园里一定热闹得很呢，那边的花儿真多，什么花没有！么老妈！是不是？”秋蝉插嘴说。

“唉，好久没有出来，眼睛都觉得不行了呢，那外面远远的有些黄的是菜花吧，油菜就开花了呵！”曼贞不觉的在心中来到了一些快乐，她用温柔的眼光，向四方眺着，风送来一些什么香味呀！有一只小鸟儿在她们头上掠着飞去了，是燕子来了么？她们的巢没有坏吧？小菡走到了妈的前边，她跳着走，而且伊伊哑哑不知唱些什么的唱起来了。

她们沿着大石板路慢慢的走了出来，两边的柏树，也点缀了一些新的绿意了。曼贞忽然走到树里边，取下头上的发针划开一面大蜘蛛网，而且边说道：

“应该常常照应一下呵！”

“没有人手啦，要做的事情真是多得很，等奶奶身体复原了，我们要一桩桩动起手来呢。要是奶奶能提一个头，关下心，一切就容易了。再等两天，我们叫两个短工把屋前屋后都收拾一下，还叫一个花匠来，把几盆花也打整打整，几株树看看，包那时就好了。”么妈兴致好得很，她很希望曼贞能动起手来，同她商量，照着她的一些安排做去。她是只想怎末把这家弄好起来的。

她们走到路口了，曼贞就在一个石磴上坐了下来。长庚正在外面的一块田里，披着短褂，把着犁头，跟在牛后边，叱叱的赶着。而紫色的海，那些他爱的紫色的小花，就在他走过的地方翻滚，毁灭了。他一看见了这行人时，便停住了。送过来大声的问讯：

“么老妈！奶奶也出来了么？奶奶，你老人家好，今天天气真好呢。”

曼贞只对他点了一点头。于是那强壮男人就又很艰难的赶着牛走去了。

“这汉子用得呢。是个本份家伙。只要不去碍他，他做事总是像做自己的一样的。有头脑。”么妈小声的又为这年青男人做了一次介绍，便又大声道：

“到场上抱窝猪儿回来，不要忘了呵！”

“记得的，明天就去。”他并没有回过头来。只送来这愉快的回声。

远处也有人在翻松土块。那些田地也是曼贞家里的。一直再下去，才是七爷爷家的。七爷爷的屋，从这里也可以看得见，只不过看见一条白墙和一片黑瓦。坳子外边是有几户人家，不过也只是些佃户们的家。另外这三边都是堆着一些不高的山，山上全是柴树，翻过山那边去，便都是别人家的了。那些山脚头，也围绕得有人家。灵灵溪是从后山边流来，转了一个大湾。这条溪水很长，都是在山丛中绕着圈子流的，一直又转过坳外到柴竹坞，到……地方去了。因为是条很小的溪流，又不顺着大道，就没有什么人留心它，名字更是没有一定的了。这真是一个安静的处所，除了小鸟们，小蝴蝶们，小蜂子，小虫们，就不会再有什么闹声扰着他们了。曼贞她们在这里逗留了一会，才又被么妈催着，于是走过池塘，你看那些蓝天中的云团，就在那水中飞，麻色的鸭子，有着红嘴的鹅也就悠然的浮在那上面，一看见人来，就游过一边去了。路旁野草里有些紫色的小花，白色的小花，又有一些柔枝伸到路旁来了。曼贞真的要扶着秋蝉才好走，虽说她已经换了平底鞋，她也实在有点累了。么妈一定要把她带到菜园边看桃花，实际她更想她能看一下菜园。老头和来发（就是她的外孙）都从菜园里迎了出来，于是么妈就说道：

“奶奶，进去看看吧。我同老头商量，我们家今年人少，要不到许多菜，我们种了一大片花生，南瓜也划了一大块地，过几天要搭一个大棚了。奶奶就是不作兴卖，送人情也好，就免了拿钱出去买。我们有得饱吃的。来发这小东西还好，捉虫拔草都还要得。不光只桃花在炸苞，柳树也在黄了。……”

曼贞当然懂得她的意思，就给了她一些高帽子。她还想拖她去看鸡，去看猪，去看新生的竹子，却不可能了，因为她的脚，她的虚弱的身体都使她谢绝了她的好意，而不得不扶在丫头身上先回房去了。么妈和小菡就总还是得留在外边。

天气一天比一天温暖了，曼贞也还出来过几次，连婴儿都跟着抱出来了。有时甚至几天连着她都在外边。秋蝉替她安置了一张柳木椅子，她就带着小孩们在坪坝上晒太阳。往年她是很少机会出来的，因为家里大半时间都有客，她一个人吊手吊脚走出来也不好，用人又多，她又什么都不懂。有时也想出来玩玩，总因为一些原因阻住了。现在成天没有事，又当春天，家里又没有人，丫头老妈都是只欢迎她出来的。么妈便又告诉她许多应该知道的事，一些农家的事。她就常常同奶妈们也谈起天来了：

“你们那里也是这样的么？你们那里有高山，我想总没有贵州的山高，我小的时候，跟舅老太爷打那里过，真是骇死人，那里看见山脚，全是云，就像是一片大河在脚底下。不过讲山水还是云南的好，真秀气，天气也好，不冷不热，不过就是太远了，走山路得两个月，听说现在可以走外国又飘海，到快许多，到也不晓得是一个什么走法……”

什么贵州云南，山水，奶妈们是一点也不懂，只是唯唯答应她。不过奶妈却也忍不住好奇的问：

“奶奶！外国到底是个什么国呢？”

“外国就是外国，多得很呢。前几年，菡小姐刚刚生下来，三老爷也和着舅老爷们到东洋去读书，到底吃不起苦，住了只一年就回来了。辫子也剪去了，回来后怕见得人，就在帽子上装一条假的，好容易才搭得上假。这个叫着日本国，样子也同我们差不多，不过穿的衣服不同。还有叫着英国，法国，……的，那些人的样子就不同了，绿眼睛，红头发，庚子那年都打到北京城里了。

皇帝太后都躲到陕西去，不知死了几多人，他们都用洋枪，一遭就中。现在武陵城里也有了福音堂，是他们来传教的，他们不信祖宗菩萨，他们是信什么上帝，耶稣，听说中国人也有好些信他的了，他们有钱啦，一吃了教就有好处啦。”

“奶奶，说是洋人要拐小孩去挖眼睛配药?”

“那我就不知道真假，不过我看书上说，他们医生总是用刀，生一个小疮，也要割的。”

“我也听见讲过女洋人是不穿裤子的，不知道真不真?”

“哪个看见了的么?除非看见过的才晓得。我只晓得外国女人是不同的，她们不裹脚，只缠腰，你没有看见我们那架座钟，那上面的女洋人不是几多小的腰肢么。他们也读书，做许多事，还要参政呢，就是要做官。她们比我们真享福多了。我们就是规距苦死人，越有钱的人家，做女人越苦。”

“穷的又有穷的苦啦!”

“这也是不错的……”于是曼贞便举起眼去望四周，这四周的景色却用欣欣的颜色来回答了她。于是她觉得不应该说苦，这里就是一个乐境，她住在这里好几年了，从来就不知道，到现在才发现出来，好些古诗，她读过的就也正有着这样的境界，她从前想慕过的田园生涯，想慕过的清闲淡漠的乡居，不正是这样吗？她虽说穷了，可是总还可以留下这栋屋，和屋前屋后的山和田，她可以躲避过许多应酬，也不会有人来与她交结的，她就和着么妈，带起这几个用人勤勤恳恳的操劳，大致不会缺少什么的，而且大家都要快乐。她一闲下来的时候，她就告小菡一点字，慢慢婴儿也大了，她也可以自己告他，生活不是全无希望的，只要她肯来决定。过去的，让它过去吧，那并不是可留恋的生活，新的要从新来开始，一切的事情，一些人都等着她的。她一定要脱去那件奶奶的袍褂，而穿起一件农妇的，一个能干的母亲的衣服。于是她高兴的伸了伸腰，骄傲的望了望晴空，便又朝家里望了望，意思是说："好，你们看我吧！"

好些事情都依着么妈的安排开始了。这老妈常常忙得把稀稀的白头发都披在额上。又常常要找一个石磴来坐一会儿，捻捻她那双像茄子又像苦瓜的脚。秋蝉，顺儿都要帮着她动动。她们也喜欢做一些外边的事，外边天气好，而且现在又少了许多拘束。曼贞的兴致也一天好一天，身体也好得多了。可是这时武陵城里又打发了人来，还带了一顶轿子来。

"我的确要回去看看的了，唉，日子真快，六个月，七个月了呵！"她的母亲是死了这样久了。

于是她把许多事都托付了四爷爷，又托了一个小菡的堂伯父，而这个家，这个她刚刚开始参加的一个小小的农家，便全权交把了么妈。而她自己便在一个清晨，带着小孩们，奶妈，和秋蝉，走了。

剩下么妈一个人坐在那路口的石磴上，望着轿子去的那方，有一缕淡淡的老年的悲戚陪着她，她替她的女主人想了一下，唉，凄凉得很呵！她是那末孤伶，又是那末应该振作，有两个小孩都靠在她身上，而她又是那末软弱，那末不知艰苦的。她远远的送着那几顶轿子，越远越显得渺小，越使人有一种飘浮的感触了。她觉得想同什么人说一句话就好，可是在她转回头时，才知道站在她后面的几个用人，都走开了，只有一群新孵的小鸡在她不远的地方，用嘴在地上刮着，于是她唤了几声：

“啄，啄啄……”

小鸡们争着抢到她的面前了，她爱抚似的说：

“等等吧，我去拿粟米给你们吃！只是，得还食的呵，乖乖的替我长大长肥起来吓，她伏天就要回来的。让我们把什么都弄好起来呵！”

于是她站了起来，拐着身躯慢慢的朝里走去，而小鸡们便啾啾的跟在她的脚后边。

曼贞这时，也正有着一种悲凉的浮世的感觉。她毫无声息的偎在轿子里，任轿夫运着她到什么地方去，她只凝视着远方的天际线，或是转眼即逝的轿旁的景色，而悲哀也就在感觉中慢慢的深刻了起来，而一种力，大的忍耐的力也就在她身上生长起来了。她如果要带着她的孩子们在这人生的旅途中向前去，她就得不怕一切，尤其是不怕没有伴，没有帮助，没有一点同情，这正是最使她伤心，最容易毁伤勇气的东西呵！

一路上她都用最大的力量，排遣着自己，支持着自己，把整天混过去了。

到掌灯时，轿子才进了武陵城的小西门，这时的街市已经只有很少的行人，店铺都已经歇了市，上了铺板，关好了门，只从一些门缝中还透露出一点点灯光。只有在一个转弯的小酒馆里，还流荡得有谈笑的声音。又不知在哪家院子里，正有着一曲《四季相思》在笛孔中吹奏了出来。轿子在没有走好久便在一家，挂得有“于太守第”大灯笼的石库门前，铛铛的敲起铁门上的铜环来。只报了一声“姑太太回来了”，于是门里面便响起了一阵声音，大门，二门，便在一阵声音中打开了。轿子刚走到厅屋，而在第三进的屋子中便开始了惊人的庞杂的女人的嚎哭。同时在几个灯笼，烛台底下，也走出来了一个精神饱满，漂亮的年轻男人。抢快的一下就走到轿前，一手就扶住了走出轿来的，然而看去已经快晕的曼贞：

“五姐！”

“唉！云弟！”她已是无力了。大半年的，过去了这一大段时日，她都在困苦中挨过去了，可是，在这时，她的这个最亲的亲属，她的这年轻力壮有为的兄弟涌到她眼前时，新的，从来没有过的软弱又来到了，她更看出了自己的孤单，须要别人怜悯，于是她痛哭了，哭到什么都没有了的境界，她曾盼望过的那种放肆的痛哭，只有倒在母亲怀里才能有的那种任情的倾泄，她现在可以什么都不管了，她要哭，不是倒在母亲的怀里，而是她的死去后的灵前。

几个老妈丫头扶了她，一群人簇拥着便到后面去了。她的弟媳，于三太太，一个俏美的少妇，接着她时，已经哭得泪人儿似的了。她只奔到那灵前，便跪下去伏在地上哭了起来。一屋子人，都响应着大哭，孩子们也骇得乱哭了。小菡也爬在地下去，揪着她妈的衣服锐声的哭着。慢慢的才安静了下去，只剩着她弟媳一人还在陪着她，而云卿也在劝解了：

“五姐！身体要紧，歇歇吧！劝劝五姐，你不要哭了。”

于是只剩了她一个人还在哭，热的手巾，热的茶，热的情意，全是洽好的安慰的话语都堆了来，她也只得慢慢的在抽噎中停住了。唉，停了哭泣后的心，才真是寸寸的痛得要命的呵！

这一晚她都没有休息，同她的弟弟弟媳，和一个住在这里年老的姪媳，絮絮的谈到夜深。她问了许多，听了许多，又述说了许多。这全是一切不堪闻问，更不堪回忆的情境，于是一边讲一边又流眼泪，直到打过了三更才睡。在被窝里还不免一人悄悄的哭了又哭。她是一点也不同她兄弟的。他是一个有为的，从小就以聪明能干为人称道的男子。而她呢，她只是一个软弱无能的女人。并且他是拥有着很丰富的产业，而她却应该卖田还债。她只比他大一岁，他们小时总在一块玩，她什么都不弱于他，但是后来，他读书了，她只关在房子里学绣鞋上的花，他又进了学，她只能在屏门后羡慕他的荣耀。现在呢，差得太远了，他有学问，他有思想，他有事业，他的前途无限光明。而她呢，她只能听么妈的话，孵一百个小鸡，养一窝小猪，种点花生，还种点南瓜！他的小孩将因为他成为像他那样，像祖父那样好的人。而她的小孩就只靠在她的小鸡身上，这一切都不能再想下去了！她是不能不要怨天尤人，尤其使她不甘服的，就是为什么要她是一个女人，她并不怕苦难，她愿从苦难中创出她的世界来，然而，在这个社会，连同大伯子都不准见面，把脚缠得粽子似的小的女人，就有冲天的雄心，有什么用！一切的书上，一切的日常习惯上都定下了界限，哪个能突过这界限呢？

接着，她的大姊和三姊都回来看她了。她的几个堂姊妹也来了。表姊妹也来了，姪媳们也来了，家里虽说每天有哭的声音，却也有点热闹。她的弟媳总是殷勤的款待着这些客，又留下几个来陪她住。她的姊姊们都是一些会说话的，于是一些新的感触，旧的嫌隙便都在这些话语，这些比话语更有力的情意而融化了。譬如她对她的三姐就有一点不愿说出的不满，因为在去年，当她丈夫病重的时候，她打发人到武陵城里来，想向她的三姐借一两百串钱，可是她就很巧妙的拒绝了。她明知道她是有钱的，后来还是她把她自己的两件新衣和一件旧皮袄卖了，才敷衍了那一节的医药。但是现在她也把她原谅了。她也许真的是没有钱，也许她已经用了。她们是亲生姊妹，她不会那末不仁慈的。她三姐又望着她诉说了许多苦衷，她并不是幸福的女人，她无限的同情她。

可是日子一久，更多的空虚却窜了来。她要留她的大姐再多住两天，她的大姊夫已经到河南去了，而她的大姐又是没有小孩的。她大姐却为难的说道：

“不，我还是回去，过几天再来看你吧，左右很近。”

“不，你一定要住下，我还有许多事要同你商量。从前你回来住还不是十天就八天。”

“你不晓得，五妹，过几天再来好一点。”

“为什么好一点?”

没有法，大姐只好又留下了，在吃晚饭的时候，大姐便对大家说道：

“五妹真像一个小孩，硬要拖住我，我实在要回去了，家里总还有一些事。”

“假如没有什么要紧的事，大姑妈还是再住几天陪陪五姑妈吧。横竖是自己家里，不要客气才好。”于三太太那末清脆的说着。而她的大姐只不做声，又扯到别的话上去了。

曼贞在这时，便也感到在这家里是缺少了一样东西，假如在往年，当她的姐姐们要走时，便会有那慈蔼的老人，亲昵的骂道：“什么事急不过！不准走！家里什么地方住得不舒服？真是女生外向！……”

于是在第二天。大姐终于回去了，她也不十分留她，因为她明白了这并不是她的家。大姐很抱歉的安慰着她：“明后天我差人来接你好了，到我家住一阵去，你总得住到下半年才走吧。”

她不能怨于三太太，她是只有比往年更招待得周到的，她甚至对小菡都不疏忽，在过去，她是从来没有这样精细。她的确是一个精明干练的出色的人物，没有一个看见过她的人不羡慕她。她一共四姊妹，都是以美著名的。她又最会修饰，她自己平日也只穿几件素净衣裳，薄施一点脂粉，淡淡的两条柳眉，汪汪的两颗活溜的眼珠，额上平平垂着一排流海，又向一边横抿了去，因为是有孝，只插一朵小小的珠花在鬓边。她的腰肢又特别瘦小，走几步路总是那末款款袅袅的。她的声音也特别松脆，说起话时只觉得太伶俐了呢。她的丈夫也是使她可以向人骄傲的人物。她又有钱，她又懂得摆身分架子，她年纪还只二十六岁，就已经有了四个小孩，大女儿已经七岁了。现在她婆婆死了，就让她当家。她又会一手好针线，绣出来的花，人人都要称赞。她也识得好些字，她的账簿记得干干净净的。她一天到晚都忙着，却还抽出空来教她的孩子们认字，珠儿已经认得快一百个字了。五岁的玉儿也认得了几十个字。一到下午就带着两个大孩子围在一张矮方凳上认那方块字。这是刚刚新出的一种叫着认图识字，一块上一个字，另一面就画得有图，是上海一家书馆里出的，倒是很有趣。这天曼贞正在这时走了过来，曼贞看看也觉得很好，便问道：

“这个很好玩，什么地方买的?”

“这还是他爹从上海带回来的，听说现在城里也有买的，因为要办幼稚园了。”

“什么幼稚园，就是学堂吧。”

“学堂不希奇，要办女学堂了呢。说是省里也有了两个女学堂。王宗仁天天来我们这里，我们家里这一个也高兴得很，忙了一个多月了，也不晓得他们忙些什么，下半年就要开学，一班师范速成科，一班幼稚园，地方都看好了，就在石头巷，就是从前蔡家的房子，你总还记得。王宗仁做堂长。到下半年，这几个小家伙就都要送到幼稚园去了。”

曼贞听到这个消息，还不敢十分相信，她又问道：

“真有这末回事么？王宗仁是谁？师范班是个什么东西呢？”

“王宗仁就是王国庆的儿子，他老子还是爹的门生。不过他们现在也不管这套了，见面就是云卿长云卿短，他们同着一块儿到日本去的。五姑爷他也熟的。什么师范我也不懂，说是专门教出来做教员的。明日就都是女教员了。到也希奇。”

“爹说等我大了，要送我出洋呢。五姑妈！”珠儿的口齿是正像她母亲那样伶俐的。

正说着，云卿从外面回来了，一进屋，来不及招呼，便说道：

“快替我找套衣服出来，又要拜知事去，帽子也要换一顶。唉，真是忙死了，五姐，总没得空陪你多坐会儿。”

“应该这样才好，像我们想找点事来忙，也没有事，坐在家里闲着，才没意思。”曼贞看见她兄弟那样好的精神，不尽又羡慕起来，觉得青春离自己好远了。

于三太太在拿出衣服之后，就又捧出一顶帽子来，蛇一样的一条黑辫垂着，云卿也就露出了那截了发的头，这不平常的样子，真觉得有点碍眼，曼贞忍不住便问道：

“不是已经蓄起来了的么？怎的又剪短了，难道一辈子就这末，到人家里，帽子也不好脱。”

“不蓄了，我们都不蓄了，总有一天大家全得剪去的，到那时才好呢。”

云卿含蓄的微笑着。好像心中还藏着好些事。他拿着衣服到厢房去，边走边说道：

“晚饭我不回家吃了。王宗仁来时，便要砚香同他说要他赶紧到吴鼎光家里去等我回信。”

“好。”

两个女人互相望了一望，都明白他又是为什么而出去了。尤其是曼贞，心里说不出有一种什么味。世界真是不同了，云卿也不同了，他们虽说谈得很少，而他的行动的确是不同了。他现在在一个刚开办的男学堂里教书，但是他教书，就同当日父亲的教书不同。他并不教人做文章，只教学生们应该怎样把国家弄好，说什么民权，什么共和，全是些新奇的东西。现在又要办女学堂了，到底女人读了书做什么用，难道真好做官，假使真有用，她到觉得不能使自己不动心呢。她们正要继续谈时，大姑太太恰巧又来看她妹子。还没走进房，便喊道：

“三舅妈！你们在说什么了，这样热闹？让我也来听听。”

她们赶着来迎接，于三太太也赶着说道：

“怎么一个人悄悄的走进来，难道外面就没人？这群该死的东西！”

“怎么没人，是我叫他们不要说的，想骇你们一跳。”

腊梅也跟着进来说道：“老远大姑太太就摆手儿，叫莫报，就不敢进来了。”

“好，你听话得很，还不快泡茶去！”于三太太又接着说，“想骇我们呢，偷偷的走进来，看，姪儿们都在笑你了，怎么这几天都不回来看看？”

珠儿和玉儿都跳起来叫大姑妈。大姑太太的小丫头四喜捧了一个小细篾篮子进来，里面装了四样精巧点心，一样一样放在桌子上。

“嘿，看大姑妈，没有东西还不回来，就怕我好吃，不好缠呢。”于三太太谢也不道一声，还笑着打趣她。

“怕我担心你没有好食儿吃？我是痛姪儿，外甥女，你不要看不起粗点心，才是京货儿呢，还是前天我们婶子打省里回来，特意送我的，我舍不得吃，带回来给姪儿们，倒不好，你看你这样子，不要带坏我姪儿才好。”

大家说说笑笑便到明间里来坐下，腊梅又泡出三杯茶，于是于三奶奶又说道：

“你们婶子跟着出去好几年，怎么又回来了？”

“他们的事，我通不晓得。怕住不了好久。前日回来，昨日就听说两口子在房子里叫苦，今日就下乡回娘家去了。两老就又在家里骂人，把我也沾上了。我想，吃糖拣软的，就我好欺，他大儿子一出门六七年，养着小老婆在外边快活，不管娘老子，也关不着我的事，小老婆也原是他们大家商量好，看中意的。我做媳妇的一不吐口大气，二不摆个脸嘴，三不错个礼数，开门七件事，人情来往，大大小小事情，哪样不是我管？他们只饭来伸手，什么地方奉侍得不周到？现在叔叔婶子回来，有不好的地方，还不是他们自己儿子媳妇；却要我做嫂子的来顶缸，怕没那道理！我想想做人做到我这样子，真不值，我赌气也回来了。并不是我忤逆，凭良心，只要一丝儿懂得好歹，也教人心里好过点。”大姑太太眼圈儿不觉得便红了。

“唉，大姐姐！怎么我们姊妹就都是一条命。昨天三姐回来，也说她家那个怪物凶得来，成天摇来荡去，摆格儿，生了一个儿子，什么好家伙，早还不是二哥面前的丫头！三姨爹，横竖瞎起眼睛，也不讲体统，总之，你顾面子，他不要脸，你就只得怕他们了。我看，你做媳妇二十多年了，还怕什么人说你，竖横他们小儿子媳妇又回来了，你就回家来住它一阵，下半年我回家，你索性跟着我上灵灵溪去，我总只剩了我一个人，什么人也管不着我，穷虽说穷，总差不了你一口饭。没有大姨爹来接，你就一辈子莫回来了，怕他那个？”

于三太太也赶着说：“就只怕大姑妈不肯，要是肯，做小兄弟，小弟媳妇的还会不好好孝顺么，巴都巴不到。现在妈过了，家里也冷清，事情又多，我又没经过场儿仗儿，得姑妈们长住在家里才热闹呢。他爹还说明年要出门，家里屋子又空，就是姑妈们不肯帮我的忙，怕也要看侄儿们面上，不回来住也不成呢。”

儿人正说着，丫头们又来请吃饭了。于三太太吩咐烫顶好汾酒，请大侄少奶奶出来，这位堂侄少奶奶已经五十多岁了，是一个最会凑趣的人。又不知道她从什么地方学会了一些词儿曲儿，要什么就唱什么，生丑净旦，行行精通，有时三杯酒一盖了脸，看婶娘姑妈颜色，也走下席去，舞着衫袖做出角脚儿来，惹得人笑得肚痛。今天她本来有点不好，睡了。于三太太因为看见大姑奶奶不快活，特意请她出来好解解闷，她是老赶热灶的滑儿，看见这位叔叔事情好，有钱，婶娘爱奉承，只喜欢听好话，便赶着逗趣，一年到也有好几月要住在这里。她一走出来，便抢着说道：

“啊哟！大姑妈回来了，今儿做媳妇的有点不好，睡了，不晓得，侍奉得迟了，请大姑妈恕罪。婶娘晓得的，就替我说一声好话吧。”

“我才不替你说，我不晓得你什么地方不好，大白日睡觉，懒虫！既然来迟了，吊什么油嘴，快拿大杯敬姑妈们几杯酒，罚说两个笑话，唱三支曲儿。”

“酒是要敬的，还要敬婶娘呢，真是一年到头辛苦了婶娘，管理这末一个家，好不容易！看我们于家，老辈子，小辈子，有哪个赶得上婶娘能干。姑妈们也知道。叔叔成天忙得很，弟弟妹妹又小得很，就让做媳妇的敬上一杯感恩谢劳吧。腊梅你们不要笑，只望我会唱鼓儿词给你们听？今天我真不唱，又像上一次，把一只耳坠子也不知掉到什么地方去了。叔叔晓得了会骂我老癫子没规距。婶娘又不管，把过都往我身上一推。我才不上当，我不来。”

曼贞和大姑奶奶都看不上那势利劲儿，平日都不喜欢她，不过大家逗着玩时，倒也觉得有趣，她虽拣着人奉承，却也不伤着那一个。所以也跟着说笑。

“撒什么老娇，你不唱，要腊梅她们赶着你唱，多灌她几杯，就不愁她不乖乖的唱了。”

“叔叔回了呢，骂起来，我就说都是婶娘兴的头儿，我踅身往后房一躲，不管帐好了。”

“好，你躲到后房去吧，要都莫出来，你怕叔叔没有看见过你那醉样儿，卖什么娇？”

“怕末，不过是礼数儿，好说我十六岁就到了于家，学了四十年还不懂得规矩！真的我这老丑物还怕什么，当日叔叔抱在手里的时候，还不知撒了多少泡尿在我身上呢……”

正说到热闹，砚香小童慌着来报道：“老爷回来了！”

云卿也带着几分酒意跨了进来：“你们好热闹！笑什么来着？”

大姪少奶奶慌着站了起来问候，故意装出一付小心样儿，惹得大家心里更好笑。

“要问么？大少奶奶说你在她身上撒尿呢！”

于是一屋子人都笑了，小孩子们远远坐在小桌子边，也跟着笑。丫头老妈都忍俊不住，悄悄的蹩着腰。大姪少奶奶蹬着脚，连说道：

“婶娘好冤我，不要听婶娘冤人，我那敢……”

大姑太太也说道：

“云弟，什么地方偏了来，脸还红着。”

“吴家请客。你们二哥也在那里，两年没见着他，他更养得好了。学问也长进得不少，还是外边跑跑的好。”

“所以他又要出去，家里总蹬不住，他要出去，我们婶子怕也要跟着，他们甜蜜儿似的。”

“怕不出去了。今天王宗仁请你们婶子做保姆，我听着你们二哥答应了，过几天就会送聘书去的。”

“是的，她在上海进了一年多学堂，脚也放了，头上不戴花不戴钿，衣衫样子也是上海派儿，好瞧不起人。”

“论先前她还在大姑妈面前问字呢，进了一年多学堂，未必就有什么了不起，果真比大姑妈强那点儿？论读书，怕还差三姑妈远了；不讲当初替三姑爹教学生，还不知替改过好多卷子，杨大太太拿了她俩做的一本诗，给她翰林哥哥看了，他还赞好，说是真才女。她还教书，那我们姑妈们不都是女先生么？”大姪少奶奶赶着逞嘴。

“你哪里懂得？现在又另是一个派儿了。文章都变了样子，我们这位二老爷还说他哥哥的文章不通，可是他哥哥总也是个举人。我们弟媳妇你说她学了一些什么，左不过是哼哼唱唱，用一根针两根针织小孩帽子，什么袖笼，一点粗针线，差绣花品金远了，可是这是新样儿呀！三舅妈！不怕你那一手好针线，却只能等珠儿大了教教她。还有你那一肚皮鼓儿词儿，唱得再好些，只好放在肚里烂掉，拿不上正经台面。现在时兴的是什么‘乌鸦乌鸦对我叫’。我看我们倒也罢了，左右也跑不到什么顶儿尖儿上去，就是只怕有许多爷们要跟着风浪走下坡路呢。我们后屋住的章家两父子，哪一天不把现在这些年青人骂几句。云弟！你当然也是‘新学’，到底有些什么不同？”

云卿只好陪着她们笑，把话题又搭在别的地方去了。

可是曼贞自从这天谈话之后，心里就总像有个什么东西梗着，许多问题得不到解决，不好意思拿出来商量，她实在有点心动，她从小便羡慕她的弟兄，她是不愿意只躲在屋里过一生的。她看过几本从外国翻译来的小说，她不知有多少羡慕她们。你看，像程家二嫂，往外边跑了一趟，进过学堂，她现在就也是先生了。她当然懂得许多她不懂的，她又可以自立不求人。她也只比自己小了几岁，……不过，她到底是三十岁的人了。而且，别人是有着懂新学的丈夫作主的。她那里能够打比？江家是什么样的人家，学堂里总是好歹不齐，江家的少爷们，也只准在书房里读书，哪里轮到她一个做媳妇的挟着书包上学？就是准了也不知道学得会学不会。她把这些都闷着，一人天天心里打着算盘。过了几天，程家忽然来了请帖，帖尾上只写着“程本于”她们就都猜定是他们二嫂子从娘家回来了，大姑奶奶替她接风请几个姊妹陪着玩玩。差来的人也说，请的人不多，都是几个常来往的太太们，一定要请这边舅太太，姑太太过去坐坐。到了那天，于三太太因为家里事情多，大姪少奶奶又到前街的叔叔家去了，没有去。曼贞却非常高兴这一个小小宴会，因为她很急的想看一看这要做先生了的人。又办了四盒点心。换了一件品蓝软绉的夹衫，四周都是滚黑边，压银道儿。倒袖也是一式。系的是百褶黑湖绉裙，裙的填心上也只钉着银丝边。穿一双蓝纱锁口的白绫平底鞋。头上扎了一条白线，一式儿插着几根珐琅的银簪，一枝鹦鹉摘桃的珐琅压鬓花。倒也素素净净大大方方。

这天程家虽说只请了十来个女客，却也热热闹闹早都到齐了。都是穿的时样衣服。什么四季花缎，十样锦缎，抗花边儿，品金边儿，真是五颜六色。头上的金珠宝石，颤蓬蓬的京花，还有手上带的，躲在裙里边的各色绣花镶花的精致的小鞋，倒也分不清谁好谁歹，谁美谁丑，只有曼贞，因为是守节的寡妇，才打扮得那末一付淡雅装束。却谁知这位程家二嫂子才真特别：干干净净一付脸儿，脂粉不施。头上也光溜溜的，只一根金簪子绾着发髻，耳环戒指都不戴。穿的一件灰绸夹衫，只滚一道窄边，袖口小了好些，正身也短些。大褶黑裙系得高高的，脚全露在外边，倒也放大了好些，光面元色闪缎鞋，连白袜子也看见了。大家都同她说客气话，恭维她，问长问短，心上却安着一个心："难看死了！"

后来有个姓李的太太就问道：

“二嫂子！你从大地方来，见的时面多，讲一点我们听听，也长长眼界，只听说上海是繁华世界，洋场世界，三教九流，大商大贾，到底热闹到一个什么样儿？那里的小姐太太们说是打扮得千奇百怪，好看得很呢。像你们女学堂里，大家在一块，到也好玩，大约都像你这样儿穿戴？”

她们虽说并不真的怎样看得她起，而她却总还是老老实实的答应她们。只是又不知谁又尖着声音说了：“什么二嫂子，得改口了，聘书上都写的是金先生琼，以后要叫金先生了！”

“对了！我们都叫她金先生吧！”

真的从此以后她都被人叫着金先生。

曼贞便也说道：

“在外边跑跑总是好的。不讲别的，天地边儿也大点。我们才真是井底的鱼，懂得什么？你们进学堂，读的书很多吧？说省里也有女学堂，大约全是年轻人，像我们这样年纪，怕就要成笑话了。”

于是金先生赶忙笑着说道：

“哪里，要是五姐进学堂，真不嫌迟，别人四十岁的人也还有呢。学堂里科目是很多的，国文修身，地理，历史，总有十几门，不过也并不难，你一学就会懂得的。”

“啊哟！骇死人了，一来就十几样，从前男人们读书到容易得多。这个什么学堂，一辈子我也弄不来的。”另一个太太也插嘴说。

“我想这些到也算了，昨天听我们舍弟说，还要上操，跑，这才是难事，莫讲怕羞，只这双脚也就要命了！”

“那也不难，只消你肯放，慢慢的把裹脚松开剪短，自自然然就大了。像五姐现在脱洒，没有家事，住在家里也闷得很，不如进了学堂一来有事，二来有伴，混混还好点！”金先生又鼓动她。

“五姐也想进学堂了。五姐！你就进了吧，读两年书，不又是先生了么！”

“先生到不想做，只想多读点书，学得一门本事。”

讲讲笑笑天又晚了，酒席一散，便又陆续辞了回去。曼贞正要走时，她大姐便止住道：

“急什么？你后头走吧！我多派一个人跟轿好了。”

客人都走完了的时候，金先生又把曼贞还和另外一个刚上头的大姑娘留到她房里去吃茶。大姑太太也在那里陪着。于是金先生又说道：

“五姐，不是我劝你，你总也有点想吧，这位吴家么妹下半年也准定上学了。他哥哥吴鼎光先生很开通，说连她嫂嫂也要一道去，她嫂嫂也只小你两三岁，你怕什么?”

“不瞒你们，老早就想得很了，怕不成，不敢讲出来，又不懂得到底是一会什么事，现在到要问问你们。”

于是她们三人又谈了半天，越谈越有劲起来，大姑太太是不赞成她妹子的，不过不好当面反对，只说了一句冷话儿：

“做不到的事，还是不想的好。她一个年轻寡妇，江家哪里肯放她出来跑？究竟五妹也该图过好名……”

曼贞听到这话。像刀绞一般，却也没有什么好说，她并不怨恨她大姐，实际上的确这样，她要进学堂，是没有什么希望的。

天气一天天的热了起来，城里又没有什么地方好走，除了替孩子们做做鞋子就没有什么好消遣的了。于是曼贞就代替了于三太太，每天上午便把四个孩子弄在一块，教他们认一点字，又为他们讲一点故事。珠儿已经很会听故事了，便是姑妈不讲的时候，也嬲着她讲，这是一个非常聪明的女孩，她一听会了故事，总能很清楚的又复述出来。她又非常喜欢认字。一见了人便要矜夸的说：“下半年我就要上学了，爹说等我大了就要留洋，爹喜欢我，不喜欢玉弟，仲弟……”她的确是一个被宠爱的孩子，曼贞也非常喜欢她，也感觉到有一种不可想像的光明在她的前途，那些新的生活的灿烂，是她们这老一辈的人做梦也梦不到的了。但是她更爱她的小菡，因为她可怜小菡，小菡的命运离她的表姊是太远了。小菡是一个没有父亲的穷小孩，她只能在经济的可能范围里读一点儿书，等着嫁了人，也许做一个不愁衣食的太太，也许像她的母亲一样，也许还坏些，她不大敢想孩子们的将来，她怕许多更坏的境域等着她们，因为她对眼前的生活就没有把握。可是小菡却一点也不懂，虽说常常被表哥表弟们欺服得哭，连秋蝉都气得躲在房里骂，她还是比在乡下时更高兴，因为这里闹热，有伴，表哥虽说打了她，她被秋蝉拖到后房里，不准她出来玩，但是只消一刻儿，表哥又会拿了玩具或是糕点来找她。她又从表兄弟们那里学会了一些歌，她也告了他们一些。她跟着他们在妈那里认字，听故事，她跟着他们，让迎春秋蝉带着，溜到后花园里去玩，采一些花，又揉碎了，捉几个蝴蝶，又让它们飞了，又拣一些石子，堆成小屋，又看看缸里养的小金鱼，表哥伸手去捉，他把一条弄得快死了，迎春骂了表哥，还悄悄的打了他，吃晚饭的时候，表姐告了舅妈，迎春就挨了打。迎春背地里骂表姐，秋蝉也帮着骂，小菡觉得这些都有趣。妈又更爱她一些，有几次她看见表弟被抱在舅妈身上，她要妈也抱抱她，妈就真地也让她在她膝头上坐了一会儿。她是真的高兴了。只是她总还有一点儿挂欠那美好的灵灵溪。因为她常常会忽然的同妈或是同秋蝉说：

“没有人捉虫虫，虫虫要吃菜菜吧？”或是：

“鹅鹅睡了没有？”

有时听到别人讲起家时，她竟热烈的央求她妈：

“妈妈！回家去呀！那里有雀雀，有风，有牛吃草。”

不仅在这个小小的脑中，不能忘去灵灵溪，就是秋蝉，在城里也住厌了，她觉得在这里做客，真拘束得很，她从前讨嫌么妈一张碎米似的嘴，现在却念起她来。她常常悄悄的同奶妈谈道：

“猜我们的那些鸡好大了？么老妈一定忙不过来。奶妈，好落顺儿在家里享福，她一定什么地方都野去了！”

奶妈也喜欢谈乡里的一些事：

“今年的雨水是好，要伏天有几个大太阳才成，真是我们都是靠天吃饭，我老板不晓得怎样了，信也听不到一个，伢儿也不晓得乖不乖？”

“奶奶答应么老妈回乡下歇伏的，不晓得怎么还不说动身？乡下夜晚多好玩，满天都是星，远远近近全是虫叫，还有那咶咶的蛙儿，嘿，真好玩，想也想不完……”

正好这时么妈却从乡下请了一个人来问候她奶奶来

了，是住在坟园的张大福的老子，还挑了一担杂七杂八的送这边舅太太的东西。把一个秋蝉喜欢得了不得，背着人悄悄跑到后院去找着张老爹，又不知怎样说才好，只问道：

“你到过我们家里么？么老妈好吧？我们家里养的那些东西都好不好？稻长得什么样子了？我们奶奶同你说没说几时回去？”

张老爹盘着一根小辫子，用一块蓝布挑花的大手帕抹头上的汗，坐在一张矮凳上正歇息呢，他一看见秋蝉走了来，便也亲热的说道：

“啊！大姑娘！你好？在城里住了几个月，蓄白了呢，快不认得了！”

“痞！人家问你正经话。”

“家里都好的，么老妈叮嘱接你们回去，她会把屋子收拾干净，要用的东西都会安排好。可是刚才奶奶没有说什么，我想就得动身了。三老爷的周年不就快到了么？”

“嘿，真是，还是你们记得，怎么你们不来轿子接，又不多来几个人？”

“呵！姑娘！你只晓得讲，田里晌好放得手的？城里有的是人，轿行里莫说我们回去只几顶轿，就再加一倍人也叫得出来。还怕没人抬你回去？”

“喊不到人再好没有，秋姑娘，你就住在我们这里，一天来后边转一趟儿，到我有了儿子，包上五台山，还愿去，张老爹，你看她来城里一趟，发了好多身了。”王厨子，勒着衣袖从侧边房里走了出来，涎着脸打量着她。

“痞！不是好东西，告了舅太太，撵了你滚！”秋蝉红着脸便跑走了。还听着王厨子的讨厌的笑声，和老爹的声音：“啊！于大叔，你好，么老妈问你呢，”老于也拖着烟管走到院子中了。

曼贞并不能忘记灵灵溪的。她想那里的太阳，那些在太阳里飞着的苍蝇，那些在太阳里蒸出的草的气味，泥土的气味，那些在太阳里躲在树叶底下睡觉了的小鸟，灵灵溪里的小石，在阳光下，闪着五颜六色的花纹，它们唱得更热闹了，池子里的晴空，更显得清澈，蓝得可爱，可是更白得可爱呵！她更想着么妈，她在太阳底下，脸儿晒得一定更红了，额头上不住的沁出汗来，稀稀的银发，露出几根在她的挑花的包头里，她的那些皱纹，只画上一层浑朴，她辛苦的操劳着，可是她快乐，好像她拿着了一个什么生命的柄，而且她是拿得那样的稳，一点也不放松的，她是有着一种最纯洁的简单的，所以虽说使人觉得她可爱得像个天真的小孩，然而却更能敬重她呵！这城里找不出像么妈的那末一付脸，一付神气，曼贞是觉得多少的寂寞，她也是想赶快能够见着她，听她谈一些家里琐碎的事。可是，曼贞却总愿意再留在城里，不怕这里有苦的生活等着她。她实在想，而且要，她不愿再依照原来那样做人了，她要替自己打出一条路来，她要不管一切的讥笑和反对，她不愿再受人管辖，而要自己处理自己了。么妈的来接，更使她有了最后的决心，她便在那晚正式的和她有着新思想的兄弟来商量了。

“你看呢，我也是想乱了才这样决定的，实在别的也没有路走。”曼贞在说完了许多她的困难，她的希望之后，便这样征求着云卿的意见。

云卿坐在书案的那一边，把两个白拳头放在书案上，半天没有答应一句话出来。于三太太坐在档头，更是一声也不响，只把一盏高脚台灯拖在面前，剔着那里面的几根灯芯。

曼贞看见她兄弟半天不说话，才又说道：

“我想你当然赞成的，你都帮着王宗仁办学堂，要别人家的姑娘们读书，未必自己屋里的姐姐要读书，你又不说好了。我的难处我也晓得，不过因为小菡她爹死了，头上还扎着白绳，两边都是诗书做官人家，不好抛头露面，我想这是不要紧的，我自己的行径我自己拿得定，我不走差一步就是，姑娘们好去的地方，我都想想再去。眼前别人说闲话，我不管，到后头总可以看出来的。真的，江家已经有那末多节妇牌坊扁额，我好不替我的儿子争面子，肯落一句话柄儿给人？至于江家那边，我自己对付，爷爷们既不能替我还账，又不能替我抚孤，也就管不到我好多，我只要规矩，不差礼数，我就不怕他。我也懂得你的心，总不叫你为难，替我担承，他们说起来，你总是我兄弟，不是我哥哥。不过我假如要读书，就得搬来城里住，我打算把家产统统卖去，在城里再置一所住房，许许多多事情，都得请你替我上前，你要能答应我这个麻烦，我一切事情才敢动手，我到底是一个女人，又只有你一个亲人。”

云卿又停了一会，他是知道曼贞的性格的，他知道他要阻挠她也没有用。何况这个世界是在一天一天的变，只要江家没有人出来找他生气，到也没有什么要紧。横竖，她又没有公婆，大伯子是死了，二伯子又出了家，而且曼贞的话也有理，他江家如要来管她，就得都管，他又想了一下才答道：

“是的。我想你这样也好，你不怕吃苦，有这个志气，莫说我们亲姊妹，就是旁人也得帮你，你尽管放心。至于卖产买产的事，放着以后慢慢说吧，这个不容易，江家没有人出面，是没人敢要的。你就住在我家里，也不少你们几口饭。不过，一过了暑假就开学，开学前还要报名投考，你回去赶得来么？你总还要同他们爷爷先说一声。”

“我倒不是那样想，要说总不会准的，那时倒不好办，还不如先进了学校再讲，等到下半年田里忙完了，我再回去，田是早就托了他们卖的，祠堂里早准了，我剩下的一点芝麻大的家私，他们只有比我清楚得多。我就来武陵住，他们也不会不肯，比不得没有儿子的人。只要你不阻拦，有事肯替我出一手，我就有胆子了。”

云卿也不好再说什么，只谈了一点家常，又谈了一点外边学堂的事，曼贞也就很满意了，她听见已经敲二更了，才辞了回房去。他们又送她到房门口，腊梅又捧了一支小蜡台出来照着。

一转回房，于三太太便生气的说道：

“我说要读书，你就不准，偏生她一说读书，你就帮她。”

他拉着她的衫袖又坐了下来，笑着说：

“你怎么同她打比，你也去上学，把这家，小孩子们交把我来管么？”

“哼！”她又一扭着哼道：“告诉你，儿娘母成年住在这里吃饭倒不打紧，可是她上学堂，顶好把她两个小孩也带去，放在家里交把谁？我已经够了，管不来许多，你倒会做人情……”

“啊！不要这样，她的小孩当然也要上学的，不过现在还太小，你就看我的面子帮着她点，她也是好强逞胜的人，到现在这样也是没法，谁知道她是这样一条命，早先下订时，她公公在贵州还做着制台。妈过世的时候，在我们兄弟姊妹面前，还那样叮嘱，何况小菡日后还是我们家的人，这孩子还乖，这也是老人家的意思，五姐也不会不答应的，我想等她爹一除灵，也就好下订了。你不要那样，她心里未必不晓得好歹，别人也说你贤惠，再不然，我就先向你道谢……”他一边说着一边就伸过手去……

“好，算了吧，听你这一付甜嘴！就是我不好上学，一辈子做你的看家奴才，还不贤惠，……”但是她却说不下去了，有个什么东西压住了她嘴唇。

于是，在第三天，张老爹，独自一人回家去了。还零零碎碎带了一些惊人的消息。秋蝉也只有张着好奇的眼睛来望着她奶奶，和一天逼近了一天的新的时日。

三

“你们学的是什么字？我是最喜欢魏碑，大方得很，可是舍弟却要我学赵字，说合适些，赵字要写得好才好看，稍微不到家，就不好看了，你们以为怎么样？”曼贞这天穿一件金银葛的单衫，旧的花边全拆去，袖口腰身也剪小了。新脱来的鞋样子的鞋，刚刚上脚。她正打叠着精神在她父亲的书楼上招待她新识的客人。

“赵字，是最好看没有的了，我平日到最欢喜看它。不过学字也不是容易事，考究起来，也就是大学问，虽专学一家，也还要博览杂观，得心应手，纵不能自成一派，大约也就看得进去了。我在家里看得很有限，五姐这里是世代书香，家兄时常谈到，于老师的碑篆行草，都是了不起的。就是云卿世兄，听说也是八分专家。日后有便，到想借几本碑帖看看呢。”这位近视眼的大小姐名字叫于敏芝。她哥哥也是武陵有名的人物，刚刚从日本军官学校回来，又预备到省里做官去。她因为许配的人家不好，一心不想嫁过去，挨到现在已经二十二岁，在家里常常写字读书，确是一手漂亮的赵草。四六文也装了好多，平日不大同人交际，也不大看得起人。聪明倒是很聪明的。可惜就是生就一双近视眼，脸皮又黑，又不会梳头，拖一条又粗又长的大辫子。背又驼，脚又包不端正，又不会打扮，衣服裙子颜色总配得很难看，所以喜欢她的人很少。她刚从乡里来，住在她哥哥家里，也是要进学堂。她哥哥同云卿是很好朋友。曼贞她们都愁进学堂时没个熟人，所以也请她来先会会。

“是的，敏芝小姐的字，是久仰的，以后全靠指教，请不要客气。我小的时候，也只思画桃符的画了一下子，后来就全都丢了，说女人们学来没用。前几天才又临时抱佛脚，找了一本帖，发了一枝羊毫笔，手都打战呢。管它，横竖我不过跟着你们后边跑跑，也就不怕丢丑，几时写两张请你们看看，要不笑我才好呢！”曼贞又这末谦虚的说着。

“五姐才真客气，我们都还要全靠五姐带着。”吴鼎光的妻子也这样娇声的说。她年纪虽说已经二十七八，可是俏皮得很，长个子，发髻梳得很高，长的颈项，端端正正放在颈子上边。也是一个爱看小说的人物，《笔生花》、《孟丽君》是她最熟的。这天她也带着她丈夫的么妹吴文英一块儿来了。她因为没有小孩，又加上吴鼎光的怂恿，也预备进学堂玩玩。

“看，你们这几位尽讲些什么学问，吊字眼儿，连茶也不喝一口，都冷了。五姑妈！你请请她们吃点粗点心吧。吴小姐真客气得很。”于三太太从走廊上转了进来，她已经陪金先生在外边站了好一会，她又接着说，“我这人真痴，有凳子不知道坐。唉，金先生怕不怎样，到底是放了脚的好。腊梅，你拿大姑太太的烟袋来，怕烟虫儿要爬出来了。”

大姑太太和三姑太太坐在另外一张茶几边，三姑太太老诉不完她家里的一些呕气的事，姨太太怎样撒泼哪，丫头怎样放刁哪……原是最会应酬，最会做诗吃酒的人，到现在全被世俗的琐碎缠住，她对她妹子所忙着所高兴的事，一点趣味也没有，而且对于这几个年轻的新客，也显出很大的冷淡。

金先生也跟在于三太太身后走了进来说道：“吴么妹真是安娴得很，她们老太太昨天还同我说，愁她太不做声了。我告她要是进了学堂，学得调皮起来，怕老人家又会头昏呢。么妹！你莫老做客！也来玩玩，看看他们这园子，比你们家的怕要大些呢，城墙上有人走过身，也看得清。”

曼贞便邀她们走出去看看，边说道：“园子大是不大，不过布置得总算还可以，全是先父自己的计划，从先到是应有尽有，自从他老人家一过世，家兄又不在家，舍弟又忙，就一年差一年了。当日我在家的时候，每天都要来这里陪他老人家走走，下下棋，现在也就难得一个人走到后边来。三舅妈！等下要他们多掏点花儿，送她们几位都带一点儿回去插插瓶。”

于是大家都走到廊上了，廊不大宽，低低的檐边，吊得有两个精致的铁马，风吹来，响着一阵叮叮咚咚的声音。展在眼前的，是一片蓝纷纷的天，和在天底上长长的画着一排美丽的灰色城垛，还有那城墙上的一片与天相映的绿茵。绿茵上，一段一段的晒得有些白布。蓝天上也不断的有白云在变幻。间或有一两个人影闪过去了。或是坐在那城垛上，远眺着城外。这并不是怎样了不得的景色，但是在城居的人，却真使人留恋呢。园子是在下边，从上边望起来，的确是不大。但是一些做山做水，花棚花台都位置天然。就是一花一草，也点缀适宜。不过随处都可以看到一些碎瓦青苔，蛛丝鸟粪，虽说红花绿叶，很是繁闹，总掩饰不了一些荒芜。而且这几椽书楼，也显得有点颓旧了。

廊上有两个绿花瓷鼓凳，又搬了几张湘竹小椅。有一阵一阵的和风吹来，带一点花草的香味，也带一点闷。飞过的小蜂，也要来绕一转儿。吴文英怕蜂子，骇得嚷起来。大家都笑了。又快快乐乐的说笑话。腊梅和秋蝉都跑到园子里，掏了一些花，又掏了好些朵建兰，于三太太就抢着来替她们簪在头上。只有曼贞一人没有戴。于三太太也在自己鬓边插了一朵，衬在她那俊俏的脸儿上，又加上那时时都在笑着甜密的笑涡，更显得美好。后来又是她提议，邀着大家到花园去转了一转。大姑太太和三姑太太算是没有陪她们下去。

小菡也被秋蝉带到花园里来了。她是从来就不怕生人的，她指点一些小花给她们看，又指点出那藏在花丛中的蝴蝶。又在她们前面跑开去，她的两条垂在两边的小辫，也就像蝴蝶似的飞舞了起来。曼贞又特别指着金先生，要她行鞠躬礼，叫先生，因为再过一个月，她便是她的学生了。金先生也喜欢小菡活泼，她牵着她问道：

"你叫什么名字？"

"我叫小菡。"

"小菡你几岁？"

于是她举着她的两只小手，一只手伸出两个指头。

大家都笑起来了，于敏芝又说道：

"就上学吗？怕太小一点，样子是聪明得很。"

"不要紧，横竖有伴，她表姊表哥都一同去，还不是去麻烦金先生么？这孩子记性还好，跟着她表姊也认得几十个字了。"

“小菡，你会唱歌不会?”吴文英也赶在前面牵着她。

“我会。汤伯伯告我。告我唱‘红豆生南国’。”她张了两个大眼睛望了一忽儿，不知道映在她小眼里的是吴文英的年轻的美脸，还是另一张，睡在烟灯旁打皱的脸儿。她忽然又像醒了似的，特别高兴的飞似的跑到前面去，咿咿的唱着“红豆生南国，春来……”她那和尚领的夏布短褂，蓝布上挑了许多小白花的衣裤，在那活泼的四肢舞动上，更觉得她的天真的欢愉。吴文英的嫂嫂也想道：“要是他看见了这孩子，一定是喜欢得很的。”她的确是希望有一个孩子，因为她丈夫是非常爱小孩的。

于三太太也喊人把珠儿和玉儿兄弟引来了。真是出色的三个漂亮孩子，楼梯坎子似的。穿一式一样的东洋花布操衣，一边有一个小口袋，一式的黑洋缎朝鞋，都有着他们母亲的明眸和小嘴，也都学会了他们父亲的轩然气概。小的两个还没有蓄头。珠儿已经把前面左右三个小发辫总归在后面，编成一个大辫垂在背心里。结辫的绳都是五颜六色的花线，四周都蓄得有一排流海。虽说小小年纪，倒很懂得一点应酬，而且在丫头面前，也会摆出小姐的架子，迎春和小兰，有时也会被她打几下的。

她们都混在大人中玩了一会，得了许多果子。又得了许多赞美的话语，把于三太太乐得更笑了。后来才又喊丫头们把她们引开去。小菡只想再多留一刻儿，也不准。小菡从小便同么妈汤伯伯们玩惯了的，她常常喜欢听大人说话。妈不准她的时候，只消给一点脸色她看，她便懂得那意思，而且寂寞的伏在秋蝉的手膀上，随秋蝉把她带到什么地方。秋蝉是懂得她的，也最爱她，自从到武陵更觉得爱她，秋蝉拿两个大桃子给她，骗她说：

“前边有打鼓鼓的，我们前边去，我们摆家家年，看玉哥哥要偷我们洋囡囡了。……”小菡总有大半天不会做声，不吵也不笑。在这种时候，秋蝉也就更爱她，常常索性两人躲在房里，不同那些孩子去玩，她为她讲点故事，她便靠在她身上静静的听，张着两个眼睛望着她，她一停了，她就要哼着说：“讲下去呀！以后呢，那个蠢小孩怎么样了？”

曼贞和于三太太又留着她们吃了酒饭，才打发轿子送她们回去。过几天吴鼎光又家里又回请她们。金先生也请了曼贞，很愿同曼贞做一个朋友。连于敏芝也借她哥哥家里请了一次客。又多认识了好些新朋友，也是预备进学堂的，全是将来的同学，多新鲜的一些名字！

武陵的夏天是不舒服的，可是今年到也不觉得怎样热，因为总有新鲜的事忙着。来的客人没有一个人不赞美于三太太贤惠能干，也没有一个人不夸她美丽，于是她便更出落得美丽，和更做得贤惠了。曼贞虽说不免要同许多人应酬着，可是也不忘她心里所收藏的决苦的心。每天清晨，便起来了，这时屋子里还没有一点声响，从窗子外边有一丝风吹来，还带一点点夜来露水的凉意。天上满映着红霞，预告着有一轮火似的红日就要升起来了。冥冥的空中，无底的，像又有些什么东西的，使人望得有些虚浮的感觉，好像嫌自己笨大，又嫌自己矮小。檐边又张上一张新的蛛网了，这小东西真勤快，每天都有三喜用竹网子把它捎去，可是每天夜晚它总又来重新布一面，那上面一定粘着好些小虫。卷帘的绳子上，也歇得有两个苍蝇。她也不喊醒丫头们，在窗子边站了一忽儿便坐在桌边了。桌子当中安放着一个罗钿大镜盒，可是她却懒得梳装，把它推到一边，而从屉子里拿出那本大帖来。砚池里装得有昨夜磨好的墨汁，于是她注精会神的临着。她进步得很快，的确已经写得好多了。老妈子们这时大约起来了，有一些开门的声音，轻声着在打扫。奶妈还抱着婴儿睡在侧床上。小菡已经在后房里叫秋蝉。这个孩子总是不肯多睡，一早就叫了起来。曼贞也不理会这些，一口气写了三张九宫格，直到手腕有点酸痛，才丢开笔，于是秋蝉便带着小菡到前边屋里来。小菡一走进来便喊“妈”，她手里拿了几条沙仁糕，只穿一件旧汗衫，鞋头上包的半截白布，也脏得很利害了。于是她想着她的一些家产，乡里大约还可以找一点布替小菡做衣，但是武陵城里却只好买了新做。她又计算了一下，她自已也得添两件新衣，新鞋，除了缴学费之外，总还得留一点钱买东西，秋蝉捧了洗脸水进来，秋蝉也没有带天秋的夜服来。她吩咐道："你没有事的时候，也照应一下小菡吧，你看她的鞋脏得那样了，也不替她换块布，……"她一边便又走到床后头，在一个小箱子里取出了一对金丝叠的钗头凤，这还是她陪嫁的东西，她一共也只用过三四次。她想这个东西怕没有什么用处了。她把这一对东西交把了云卿。在这天晚上，云卿带回了五十串小钱给她，都是一式的李元亨布庄的票子，她有这些钱，又是高兴，又是难过。

写字的事还不很难，因为预备考，她又在家里学着做了两篇文章，她在父亲的书楼上找了几部《四书》，《史记》之类的东西，成天用心的读着。云卿又替她找了几本时文。她一有不懂的地方，便翻《康熙字典》，或者问云卿。于三太太常常笑着同她说："你不要变成书呆子了。"

比较更使她难过的，还是那一双脚，刚刚把脚布剪短，下地时多痛，包松了也痛。但是她总希望她的脚可以赶快大一点，便忍着。夜晚是赤着脚只穿一双袜子睡，白天也只松松地包着五六尺布，有时痛得不敢下地，同刚刚裹脚的是一样的痛苦。她又怕到了学堂要走路，便总是站的时候多一些，屋前屋后转一趟。于三太太不十分同意，她同她说：

“像金先生，于敏芝那些脚到底难看。你看于敏芝她一走路，老是翻开裙门，现在上海那些地方也许时行大脚了，不过我们这里总还没有行，我看要大还容易，假若后来又行小，可就不容易了。你看吴鼎光太太她也不放脚，她俏还俏，就是高了一点，皮色也差一点，你看呢？”

“不管时行不时行，脚总是大的好些。我在乡下看见一些乡下女人，山上也去得，水里也去得，同男子也差不多，我真羡慕。好看不好看，我也不管，只要能够走点路，中一点用，就好了。”

“又不要你上山，又不要你下水，学堂里总还是读书，大家斯斯文文，脚放得好，也还罢，要是茄子不像茄子，苦瓜不像苦瓜，到底不像样。珠儿这一双脚我就愁不知怎样才好，她爹总说不准包，要把她留学的，只是拦也不拦一下，明儿同男人们一个样也难看，我想再过两年怕也该包一点点了。”于三太太也是有一双好脚的，她无论如何舍不得放，她在这双脚上吃了许多苦，好容易才换得一些名誉，假若一下忽然都不要小脚了，她可有一点说不出的懊恼。

曼贞看得出她的许多不同意的地方，并不止在一双脚上，纵是无论什么事，她们都有两个相对的意见。譬如曼贞以为于敏芝不愿意嫁人，愿意多读书，便很同情她，而于三太太却要常常讪笑她的样子，假如她没有她军官哥哥，便得不到一些恭维了。于三太太总要说一点吴鼎光妻子的坏话，说她是生意人出身。她又总说金先生并没有学问，她又总同三姑太太骂姨太太，而且自从她的婆婆死后，她的确常常都要打丫头，好几次丫头悄悄的跑到曼贞处诉苦，曼贞偶尔也替下人们说一两句好话，可是她知道她的话的力量，她心里虽说明白，口里也不说出，常常一到快要冲突的时候，她便说别的去了。

学校的考试也过了。参加考试的人很少，因为大半都怕考，但是也全通过了，都是师范生。只等到七月十五那天开学，二十上课。王宗仁早已预备好，要在这天大大热闹一下。

头一天于三太太便忙起，把几个小孩的衣服又拿出来看了一看。珠儿是一身粉红花绸衫裤。玉儿两兄弟也是玉色亮纱长袍和团花黑纱坎肩。她自己找出一件女儿红的细葛衫，只镶了一道白缎子盘银边，翠玉钮子，找这件衣服，她费了一点心思，既要好看，又要不花梢。她连替腊梅和迎春的衣服都想得很好了。这天又把大姑太太和三姑太太一同接了回来，预备第二天一块儿去。

因为都要去看看这非常的典礼，真是希奇的事呢。

三姑太太是四十岁的人了，却是爱装扮的，也夹了一包第二天穿的衣裳回来。大姑太太已经不大考究这些，可是她的潇洒的风度，美的姿态，虽是在老年，也没有失去的。大家又讨论了一会。曼贞也把她一件满天青的衫子修改好了，小菡也缝了一件实地纱的长袍，是她舅妈送她弟弟的，她正好做一件长袍。小孩们都在院子里玩，迎春和珠儿时时说起明天的事，迎春说：

"大小姐，你猜，明天要走人家了，猜是那一家?"

"我晓得。不要你问，你又不配。"珠儿心里充满了高兴。

"太太要我去的。"

"呸，我不准你去！丫头不兴上学堂。"

"珠姐，妈妈说小菡去。"小菡小心的问着她表姐。

"是的，妈讲要我带你们三个。"珠儿又骄傲的望她们。

"我不要你带。小菡莫要她带。"玉儿不服的说。

"偏要带！"

"偏不要！"

于是吵嘴了。这时房子里也正热闹得很，大姑太太告诉她们，学堂的管理员，已经在前一天晚上到了。还一块儿来了好几个女教员，都是大脚的姑娘。听说王宗仁还预备了十几桌酒，不知道明天闹一些什么花样。

第二天一清早便起身打扮了。很早的吃了早饭。一流的坐了四顶轿子，一顶轿子里搭了一个小孩。大姑太太和曼贞在前边，三姑太太和于三太太在后边，秋蝉、腊梅和迎春三个丫头和跟班三喜跟轿，一直出了于公馆的大门朝东走去，很近的转了两个湾，便到了。远远便看见一溜花墙。轿子刚抬进大门，便有几个兵勇在二门口喝着停轿。她们只好在院坝里走了出来，另一边也歇得有几顶空轿。只见二门口立了五六个兵，都穿着短褂，胸前和背后的衣上都钉有一个“勇”字。另外还有六七个人，跟班不像跟班，打手不像打手的，穿着紧身扎靠，也站在那里。她们一群从轿里走了出来，那兵却和气的说道：

“请进去。”

从二门里也闪出两个大脚麻阳婆，笑迷着说道：

“奶奶们都请进来！”

小孩都紧贴着大人身边，丫头也紧跟在后边，一行便走进去了。三喜不准进去，他踅到隔壁去了。那里有一个小院子是住着男教员们的。

再转过一扇屏门，里面便热闹极了，已经挤了一屋子女人，大半都是大户人家打扮的，也有漂亮的，也有不漂亮的，三三两两的坐着，都在讲一些什么。

从旁边一个小天井的房子里，转出了金先生，她忙着跑来招呼道：

“啊哟！怎么才来！快请到我的房子里去坐！”

她在前边引着，引到在大厅侧首的一间小房里。只见大厅上已经挂了一些“八仙过海”的红缎子彩，厅子上面也挂了四盏大宫灯。厅当中摆了一张大八仙桌，桌上铺了红桌面，和绣花桌围。一大炉檀香已经是香烟袅袅，一对大烛和长命香都还用红纸封着。上面端端正正挂了一付孔子画像，并且贴了一张红纸，写着“至圣先师孔子神位”。大厅上面还挂了一块黑底金字扁额是武陵知县写的“女师坤范”四个字。两壁也挂了几付对联，都是武陵城里的名人送的。茶几椅子上也是一式绣花帔帺么，上首靠壁处一顺水的安放了几张椅子。桌子旁边还放了一张不知叫什么名字的东西，跟着这个东西侧边，也一顺水的安放了几张椅子。好些女人都在这里徘徊张望着。大厅后边还有好些房子，也有许多人在那里玩。金先生指点着说：

“那就是课堂，明日五姐上课就在那里。那边还有大操坪，大饭堂，等下我同你们去看吧，还预备得有酒，王宗仁先生说一定要留你们几位吃了酒去。”

“我们又不是女学生，跟着来观望的，也有酒吃么？”于三太太笑着说。

“怎么没有，凡是学生的家属亲眷都留酒吃。”

“大约有多少学生?”曼贞也问道。

“大约有三四十人，听说上边几县里都要派来，假使真的，那人就会多了。幼稚生是多一点，光报名的也是四五十了。”

他们一边在这里说话，一边陆续也就到了好多人。大厅上的大钟一敲过了十点，便有一个麻阳婆拿了一个大铜铃用力四处的摇响了起来。金先生也赶急说道：

“五姐，要行礼了。你跟我来吧，你们几位就请站在这里看看。几个小孩来不来呢?”

另外有几位大脚的女先生也走了出来四处忙乱着。

散在学堂里的人，都不知是什么一回事，都朝大厅上挤了来看。

“是本校的学生就请来站队，是参观的客人，就请站在外边。”

学生们，不知怎样才叫站队，都局促的站在厅子中互相望着笑。看的人又挤到前边来了。

“金先生，请你拉拉她们，告她们成单行站，我说话怕她们不懂。”一位年轻的十八九岁的女体操教员，望着这群小脚学生发急。学生们就都望着她的奇怪装束：她的脚几乎同男人们差不多大，她的衣服窄小，她的头发向上梳的，不像道士，又不像古装。她说一口又快又尖的省城话。懂得她的话的人，的确很少。

金先生望了一会，又同她商量了一忽儿，才邀了另外两位女教员帮忙，一个一个的拉，才把学生们排成四行的向上站好。

曼贞找着了于敏芝她们，先前她们到后边玩去了。她们几个人站在一块儿。

大约也有十几个幼稚生，她们便也排了两排，站在师范生前边。

看的人比学生多一两倍，都挤在厅子两边，金先生们再三的请她们不要笑，不要讲话。

这时又走来一位四十来岁的女先生，高高的梳一个圆髻，很有点威严的走到学生们的前面，学生们都望着她，不敢做声，可是她却和气的说道：

“请不要说话，不要笑，等下知县官堂长都要过来，还有好些男宾，跟着我做好了。”她又请了几位女宾坐在女宾席上，可是大半的太太们都笑着不肯来。她是这学校的管理员，姓褚，她已经在省城做过一年的教员。

麻阳婆于是又举起铜铃来来去去的摇，大家心里又觉得好笑起来。

只听到一阵脚步声，屏门口便转出一群人来。一些女太太们都羞着把脸低了下去。

知县官走在最前面，穿着黼服，带着水晶顶，是一个五十来岁的人了。堂长王宗仁走在第二，他不过三十上下的年纪，圆圆的脸上堆着一团笑，他这天穿一件白实地纱长袍，玄色马甲，钩云玄色缎鞋，帽子上有颗小小的珊瑚顶子。走在他后边的便是几个中年绅士，和于云卿一般年青的他的朋友们，也有两个老教员，几个职员。这一群人便脚步杂沓的，其实是谨慎的走到了这礼堂。

站在远处的女宾中，就有人悄悄的评论着知县官和堂长。

这时在男宾中又走上来了两个唱礼的。像人家做喜事一样，也有奏乐，却是那位体操教员，走到那桌边的不知叫什么的东西旁边，坐了下来按着，从那里发出一些不懂的音乐。奏完了乐，便由知县官，堂长，管理员们带着这起小脚的女人在那里的三合土上面，一起一落的磕着头，算是谒圣。好容易才磕完，真是吃了很大的苦，却又得站得端端正正替知县官，替堂长，替管理员，替教员，甚至替来宾都要行礼。而且，知县官又训话了，咭咭呱呱，不知道说些什么，他原来是宝庆人。而堂长也训话了。来宾也来演说。有几个女学生几乎忍不住脚痛要哭了。大半心里都焦急起来，只想走开去坐坐，又怕动得，小孩子们就真的有几个走开来找妈了。终究这典礼算完了场，乐声送着男宾们出去，而这些学生便像赦罪的囚徒一般，快乐的，匆忙的跑着。不相识的人也会走来问你道：“你不觉得痛吗？真要命！”

曼贞她们也赶忙朝金先生房中涌去，于三太太们便赶忙嚷着道：

“快坐下来吧！我真替你们急死了，为什么他们连凳子也不替你们放？”

“真快站死了，长这末大了，一生还没有吃过这样苦……”于敏芝拉开裙门便朝床上坐去。

“不要紧，明儿上课就该学生坐，先生站了。五姐，你来这里，我不大累。”吴文英走到了椅边又让开了。

有些不认识的人也挤了进来看她们。于三太太又说道：

“五姑妈！你们家里还有人在这里，你知道么？”

“没有的话，我不信。”

“真的，刚才一个老妈子在这里说的，她认得你，她说在你们三爷爷家看见过你一面。她说她们奶奶想同你打招呼，怕你不认得。她说是那一房我就忘记了。你不信，也许她还会来找你。”三姑太太也证实了，加上这样说。

“也许，只是我们家的人太多了，我不认得的多得很，也弄不清房数，怕也不怎样亲了。几房亲的，就都住在乡下，不会来武陵的。纵是来，总也得来我们家走走是不是?”

“总是这样的，同姓的人讲起来总是一家，譬如敏芝小姐还不是同我们一个姓，说是一家又不是，追到老祖宗去，还不是一家。”于三太太说得大家都笑了。

正说着，金先生也进来了，她时时用手帕揩额上的汗，一边进来，一边便说道：

“真待慢得很，没有陪，大家再坐一刻儿吧，马上吃酒了，大嫂子帮着留一留三舅妈和三姨妈。五姐，你们几位当然都是主人了，你就不客气，只是我想请你们几位到褚先生房里去坐坐，她来在武陵是客，又没有亲戚走动，她也是大户人家出身，去见见好不好?”

“好，当然好，就怕不会同先生们谈话。……”

“好，你不要管我们，我们还要玩一会儿，看看你们学堂。酒就不吃，丫头孩子一大群，不像样得很，又不是逃荒，大姑妈，是不是?我们去看看后边吧，不知道这几个小东西玩到什么地方去了，该会有人跟着。”于三太太抢在头里走了出去。

曼贞几人便跟着金先生走到对面一间房里去。

这里一群便也走到后边去玩。这时学堂里的人也走散了好些，都回去了。还有一些坐在一大间客房里，嗑瓜子，咬槟榔，不知是那一家的女眷们。随处都有一些小孩，丫头老妈子，还有些人在后边掐了一些石榴花，火一样的红，倒也可爱。她们走过了教室，看见上边挂的黑板，和侧边挂的地图，也都觉得奇怪。又走过一间自修室。又走到后边，看见有三间寝室，每一间大约有五六张床，桌子板凳都有，就是粗得很。外边还有洗脸架。小小的院子里，种得有几棵芭蕉。窗子上都已经糊好白纸。有一间房子里已经有三个床上挂好蚊帐了。桌子上也摆了好些梳装用的东西。大姑太太说道：

“我要年青，我也来玩玩了，伴多总是好。我要来，我一定把这窗纸换过。底下这一排玻璃上就要挂着粉红窗纱。因为外边是月亮门，和绿芭蕉。大家在一块儿睡觉，在一块儿做事，真是有趣，人是越出世得迟越好。明儿到小菡时代，还不知又是什么样子呢？妈当日就不会想到五妹还会上学堂的，也跟着谒圣，孔夫子收女学生了。”

“不过，妈那时也有那时的繁荣。假如那时要办女学堂，怕就不像现在这样。今天实在没有一点排场，还不如我们家里做小寿，从前只说入个学，圣庙里也就闹热得很，连街市上都疯了。我说什么奏乐，真笑话，就让一个毛丫头按那个什么洋东西。爆竹也不放一个。你们没看见那门口站的兵，有气没力，像什么样子？就这些睡房，也粗糙得怕人，那里是给小姐们睡的。腊梅她们不都比这个睡得好些么？……”

于三太太打断了三姑太太的话，说道：“三姑妈——你也是！这本来是学堂，要讲平等，自立，自己服侍自已，读书的地方。又不是做官，又不真是像《镜花缘》上讲的。你老想有排场，那怎成，我们还是再到那边去看看吧，那里有大树呢。”

转过了另一扇墙门，便显出一个大院子来，院中有两棵几人合抱的大桑树。满地都铺着一些桑葚。上面的一排五间房的大厅，都拆去了，改成了风雨操坪。周围安放着一些哑铃，球杆的玩艺儿，大家都不认识是什么东西，都走去摸摸。珠儿和小菡她们都在坪中拣桑葚，还有一些别人家的小孩。于三太太赶快骂着道：

“腊梅！你要死呀，看把小姐们吃坏了，不打死你！那些葚子都是坏的，怎么能够吃，还不把她们引开去玩。”

“没有吃，玩玩的。”珠儿带着弟弟们都走拢来了。

小菡看见没有妈，便拖着秋蝉要找妈去。

转过了院子，便到了食堂。这间房大得很，总可以摆十几张桌子。现在只放了八张。在一方墙上有两个大洞。饭和菜都从这里转过来的。隔壁是大厨房。通男教员住的地方。有两个麻阳婆在这里预备开饭，她笑向她们道：

“奶奶们吃了酒再回去，马上开饭了，就坐在这里等等。”

于三太太没有答应她，却笑着道：

“都打算我们要来吃饭呢？我看还是回去算了吧。家里有霉豆豉蒸腊肉，炒酸辣椒，比这里什么酒席要好吃得多，怎么样，回去么，要腊梅在门口去找三喜看轿子去。”

“回去吧，等下都是她们学生先生，我们在这里才碍眉碍眼，还是走好。”三姑太太附和着。

于是她们走了，连金先生也没找到。几个孩子也跟着回去了，只留下小菡和秋蝉，因为她已经在她妈身边。她同那体操教员玩得正好。

这时褚先生正同她们说得很热闹，她说：

“讲起来，你们这里算开通了。堂长昨天同我说，办这个学堂也不知有多少人反对，但是究竟也有了这末多学生。前几年省里召南女学堂的堂长也是刚从日本回来，要办学堂，赞是有人赞成，可是没有学生，没有法，先办起来再讲，每天用轿子去接几家亲戚中的小姐。什么音乐体操都没有，只请一个老先生讲书，当中还挂一幅帘子，先生和学生都只听见声音，看不见人。慢慢城里几家大户人家也就送了学生来。慢慢才取消了帘子，添了课程，府里看着他办得好，又请他办了一个女子师范，现在两个学堂都有两百多人，毕业了好几十，骂他的人还是有，说好话的也就一天多一天了。王先生就是召南毕业的。她晓得真清楚，不知有多少笑话呢。”

王先生就是那体操教员。她虽说是大脚，很开通的，究竟年纪青，容易怕羞，不大会同生人应酬，她总不大说话，常是笑。

另外两位年青的女教员，一个姓张，是教图画的，一个是褚先生的女儿，是教手工的。造花，叠绵，她样样会，她房里就挂了两幅叠绵的横屏，和供在玻璃盒中的一株梅花。这个做得同真的一样，大家心里都爱，口里说好，看不出她那样一个小姑娘，却有这末一手好本领。

曼贞最喜欢那花，她心里想也得造那末一枝摆在自己房里。

大家虽说总还有点生疏，却谈得很投洽。尤其是曼贞，对她们又是羡慕，又是尊重。

自从这天开学之后，学堂里就热闹了。常时有人来看。几天后又上了课，大半的学生都是坐轿子来的。学堂里一共用六个麻阳婆。幼稚生大半也有丫头老妈跟来，常常一二十个下人坐在一间房里谈天。不到上课的时候，就没有一个男人，学校又大，真是好玩。王宗仁偶尔才过来走一走。他看见学生一天多一天，他那原来有点胖的脸上，便加了一层得意的绯红。一些外来的先生也搅熟了，像住在家里一样。每天都有成群的学生在她们房里坐。而学生们一天一天的也变了起来，变得同在家时两样了。现在她们的衣服都仿着几个省里来的先生们样子。年纪青的人，像吴文英她们都很容易一下就把脚放大了好些。都穿着白竹布袜子和黑缎鞋。把垂着的耳环改为一绿小圈，有许多人都没有戴了。手上的装饰也渐渐减少，而且都喜欢多留在学校里一会儿。寄宿生慢慢多了起来，寄宿生更比较勤奋，都是些好胜的姑娘。于敏芝也住在学校里面来了。她哥哥已经到省城去。一完了课，她就要拖曼贞和吴文英到她寝室去坐，文英的嫂嫂只上了十天课就觉得太苦不肯来了。这时邻县也送了一些学生来。但是像吴文英嫂嫂，半途退学的也很多。不过曼贞却总是拖着，那样执拗得连迟到都没有过。

天一亮，她就起来了，仍旧照老习惯写两张字。在梳洗的时候，小菡就到她房里来了，珠儿和玉儿仲儿也走到姑妈房里来，她们都同她亲热，她又要稍稍照顾婴儿一下；现在他已经一岁了。在学着喊妈，可是孱弱得很，还不敢下地走走，又怕生人，一见了生人就哭，每天都躲在房里，让奶妈，秋蝉陪他玩玩。她来看他的时候，他便伸着手要她抱。她想抱他一下，而珠儿却在房门口喊起来：“姑妈！吃饭了！”小菡也跟着说：“吃饭饭，上学去，妈妈！”于是她只得丢开他，她带着几个孩子吃了饭便坐一顶大轿到学校去。因为她人和气，许多人都同她很要好，她总是忙得应酬不来。她先带几个孩子到幼稚园去，金先生已经站在一群孩子当中。金先生忙着招呼道：

“五姐！你早！”

简单的客气了几句，看着孩子们玩去了，才又到自己教室去。一走进教室就有人喊着，“曼贞姐来了！”

这些新同学都很爱她，一半是同情她，一半是尊敬。尤其是几个外县的同她更讲得来。这里面有一个姓蒋叫着玉的，是一个很能刻苦的女子，她的家里不怎么有钱，她哥哥也是维新人物，把妹子送来读书，可是她的未来的翁姑对这事很生气，说了一些不同意的话，她也不管，她只想好好的读书求自立。她的床铺就靠近于敏芝，当然她同她们就成为好朋友了。另外一个十六岁的小姑娘，也同曼贞做了最莫逆的朋友，她的名字叫着夏真仁。她是浦县的人，离这里总有六七百里。她从她一个在上海读书的表兄处，得读了一些报纸，她有绝大的雄心，她要挽救中国。她知道一个在家的小姐是没有什么用的，所以她一听说武陵有女学堂，便在家里同父亲争辩了几次，结果她同着她小的嫂嫂一块来武陵了。她以为要救中国，一定先要有学问，还要有一般志同道合的朋友。所以在她一进学校不久，就同曼贞很要好。她以为曼贞比那些小姐们更好一点。她虽说年龄最小，可是她眼光比大家都更远一点，而且她从小就老成得很的。曼贞自从同她谈过几次话之后，对她也非常佩服，看见她的勤学，朴实，刻苦，也就不觉得把一些少奶奶脾气改了好多。

她开始不想上体操课，因为有好些小脚的学生都不上。她自己知道脚还不行，怕别人笑，可是夏真仁却诚恳的鼓励她道：

"曼贞姐！不要怕，尽她们笑吧，她们最多笑你三天。你要不肯上体操，你的脚更难得大了，脚小终是不成的。你一定要跟着我们一块儿来。"

她真的听了她的话，自然有些人心里笑她，有的悄悄说：

"看于曼贞，那末小一双脚也要操什么……"

尤其是当练习跑步的时候，总赶不上，一个人掉到后边，王先生便说道："好，你可以在旁边站一会儿。"一些不上课坐在两旁凳子上看着玩的便喊她：

"曼贞姐，来坐坐吧。"

有人便劝她，算了，可是她以为夏真仁是对的，她不肯停止，并且每天都要把脚放在冷水里浸，虽说不知吃了许多苦，鞋子却一双比一双大，甚至半个月就要换一双鞋。她已经完全解去裹脚布，只像男人一样用一块四方的布包着。而同学们也说起来了：

“她的脚真放得快，不像断了口的。到底她狠，看她那样子，雄多了。”

她不仅在放脚上显示了她的决心，尤其是在她功课上。她在这一班中，并不能算是最好的。像于敏芝，夏真仁都比她好，她又不比她们没有牵挂，她有许多琐碎的事缠着她。但是她总是拼命保持着她的进步。譬如一完了课，她就又要到幼稚园去，看看散学后的孩子们。这些顽皮的家伙，总是弄得一身是墨，是泥，她要替她们洗，虽说有迎春跟着，可是迎春也只是一个孩子，管不了她们。有时她们又打了架，正在哭，她便要抚慰她们，她们也就听了她跟着回去。常常轿子还没来，她就牵着一群走回去，因为近，路熟。有时珠儿她们已经被接回去了，只留下小菡一人坐在那沙地上，或是树底下，一个石榴花布的小书包伴着她。她便不觉的对她这女儿起着大的同情，遏制不住的走去抱她，小菡也一定扑了过来喊道：

“姆妈！姆妈！这里有虫虫！”

她一边替她拍身上的灰，一边问她：“你一个人吗？”

小菡想了一想答应道：“有姆妈！”

“是的，小菡有姆妈！小菡不怕。”于是她去拿她的书包。“走，我们回去，弟弟在等我们!”

也有好几次她来迟了，幼稚园冷清清的，一人也没有，她找不到小菡，她以为她也跟着珠儿她们回去了，可是家里又没有，于是她又发急的再跑到学堂，才找到小菡，或是从金先生房里，她在那大床上睡得正好，或是在师范生的寄宿舍，正有许多人在把糕给她吃。她在那里唱“小雄鸡”。

一回到家，奶妈便赶急把婴儿抱过来，现在婴儿有名字了，叫着大。

大近来又病过几次，母亲总盼望他脸上会有点红，可是他总只孱弱的坐在母亲身上，用小指头摸母亲的脸，他笑得很少，但是他的确是一个乖的孩子。曼贞常常要问他：“大，你在想些什么呢?”他不答应她，却要注视着她，于是她断定他一定会想什么了，她在心里说：“他是一个奇怪的孩子，”因此她特别的爱他，比爱小菡更爱，不管客人们，无论什么人只夸她的女儿。

可是她不敢耽搁一会儿，她又去理她的书籍，而秋蝉又走来了，秋蝉先摆出一付苦脸，咭咭哝哝的说：

“以后奶奶叮嘱奶妈不要到后边去好了，城里人都欺生，仗主子凶……”或是这样的说：“腊梅今天才挨打得利害，头都出血了，射言射语骂了大半天，深怕我不懂，哼，幸喜奶奶没有听到，真气死人……”

曼贞一见她走来那样子，便知道她要说些什么话，早就止住她说道：“我晓得，不准你多嘴，我不在家，你最好不要出房门，你总是不安份！”

秋蝉见她不要听她说，便又出使奶妈，奶妈也碰了钉子。两人心里便怨她无用。

她不理她们，还是出来温书，她怕赶不上同学，所以她只好每夜都留到夜深。她的进步居然也能同着那些聪明的女孩子们相比了，她觉得非常高兴。然而的确是有许多问题横在这儿。四爷爷来过信，催她快点回去，堂伯父也来过信，也是要她快点回去办理卖田的事。尤其是么妈，托人带过许多信来，问她的好，意思也是要她回去的。于是她不得不又同云卿作了一次商量，才决定在十月半便赶回去，开学前赶来补考，而且她把小菡留下来，只带了大一人回去。秋蝉也只好委屈的留在武陵替小菡做伴。

长庚已经把谷子囤在仓里了。可是么妈大半年来辛勤的成绩却不很好，在夏天，猪得了瘟病，死了好几只，剩下的也像有病的样子，她赶忙贱价的卖了出去，后来听说那些卖出去的猪在别人栏里又养得胖起来。鸡呢，时常有黄鼠狼，野猫来偷，顺儿又不好好的看管。园子里到真的得了一些东西，她一包一包，一篮一篮的扎好，要长庚挑着，跟着曼贞的轿子一房一房的送去。

田算是大半都卖出去了。只留了一栋住屋和屋前的四五石田，柴山只留了沿屋的几片。坟园边的两石田，也是不能卖的。但是曼贞眼看着那好多的田从她手上卖出，却只剩了两百多串不可以给她做零用，她心里说不出有许多伤心，么妈又要唠叨着，埋怨她：

“什么事都得自己上前啊！你以为爷爷们就靠得住吗？这个屋里的人，我是清楚的，你看祠堂里一年一千石租，用到什么地方去了，从前归我们管祠堂，一年三节连远房那些穷的都送谷子，送钱去，仓里还一年一年加多，而今，我真不晓得一年四季祖宗们能够看到几次三牲，你以为保大伯不懂得四爷爷的把戏。四爷爷也晓得保大伯的鬼，他们大家心里都明白，就看着孤儿寡母好欺。有一天菩萨有报应的。我催奶奶回来奶奶又不回，早点回来，总也少丢得几个。现在家里统只这一点，还要大方，送了他们，他们也不会同你道谢。唉，我就看着这些着急。”

而且么妈比家里的伯伯叔叔们还更反对她的读书，她以为这太希奇了，她甚至对这女主人有些不信任起来，她说道：

“你会上当的，难道舅老爷们也打合声么？奶奶，我只听见过有皇后娘娘，却从没有听到也会有女官。说教学生，教到有钱人家子弟也不容易；教学堂呢，好容易望到三节，这个学生家里封一百文那个封两百文，平日还淘气死了，究竟也不见请女先生。我看还是一心放在两个小的身上；当日爷爷也还不是一岁就死了爹，全靠老太一人抚养的么？你莫看四爷爷不说话，他心里笑你呢，他听说你还要卖房子，他不知多少高兴，他赚了钱不算，将来你们这房人到了武陵，他就好什么也不管，他巴不得都跑干净，祠堂就是他一个人的了。”

曼贞便同她解释，说而今的世界不同了，女人也可以找出路的。从前老太的时候也不同，那时什么都便宜，家里也不同，亲叔叔几个，爷爷虽是抱过来做长房的儿子，可是亲老子还是亲老子，二太爷还是最爱他一个。曼贞又说了好些希望给她听，么妈身体强健，么妈可以替她照顾一下子家，她有了么妈替她管家，她就好一心一意读书，前程是有的，只要她们去奔。她又说明家里这点东西也靠不住，她又离得远，她不能每年回来收租，然而么妈还是反对，么妈说：

“奶奶你当然比我们见得远，不过也应该留个后路，万一外边不好，回家来总有个住处，难不成真的去住祠堂，受气。”

曼贞也认为这话是对的，她从前也这样想过，不过这点田只能够吃，要是住在乡下，穷点过日子是勉强够的，如要读书，那就差得很远了，她假如卖了，把钱交把云卿，由云卿去替她设法，云卿曾经讲过，要是存在那家铺子里，按月一分三拿利息，她住在云卿家里，就算自己起火，也可以够了。她觉得还是这样的好，这里太没有亲人，没有可以给她一点帮助的人，所以她还是决定再请四爷爷和保大伯替她卖房子。

四爷爷是一个最不能干的人，他们七弟兄就他一个人连芝麻大的功名也没有挣得。自从三爷爷去年一死，这家便算他最大，他在弟兄里常常不能被抬举呕的气，便要找着这些小辈发泄，爷爷里又只剩他和七爷爷，七爷爷又是一个上海姨太太生的，这家自然更看他不起，分过家后，他除了喜庆大事平日从不来往走动。四爷爷的大儿子这时也有十六七岁了，从小就不爱读书，专喜欢偷鸡摸狗，和下流人做朋友，家事倒也不管，逼着娘要钱，娘不给，便偷，一有了钱，家里就十天八天不见人影子，不知道他混在什么地方去赌钱去了。但是四爷爷还是不管他，自己又讨了一个姨太太，姨太太常常使着丫头同另外一些奶奶小姐们的丫头吵架，都恨死了她，但是又不能奈何她，因为有这唯一大的长辈护着她。从先曼贞刚嫁过来时也住过老屋，因为老屋太大了，都喜欢多住几家人，曼贞也吃她的亏，有一次甚至连四婆婆也走在头里把曼贞骂了一顿，说是对丫头没有管教，对尊长没有规距，姨太太究竟是四爷爷的人。结果，曼贞穿了裙子，捧了茶盘，走过七个天井，四个堂屋，去陪罪。妯娌们个个不平，商量去请二婆婆和三婆婆来讲道理，可是曼贞不愿意，她后来就搬出来了，四爷爷又是恨小菡的父亲的，小菡的父亲也是个骄傲的家伙，同叔叔们总是弄不来，现在到了求他的时候，所以他还要装出那末一付爱管不管的样子，有时特意还要跑到祠堂去，让来找他的曼贞在他的家里要很无聊焦急的等一整天。

房子虽说决定要卖，也还是不能马上卖出去，不过四爷爷答应她也许过了年之后有人要。于是曼贞又要趁在赶回武陵之前来替小菡的父亲除灵。

有些伯伯叔叔也来了。亲的姪儿们也来了。大姑太太是在早几天就回来了的。大姪少奶奶也来住几天，有好几房妯娌，尤其是同住在老房里做了一阵好朋友的赵四姐。大被迫住伏在蒲团上，他又怕生人，几乎成天都在哭。家里请了一些帮手来，厨房里冷清清的大灶也热闹起来了。昏昏沈沈的忙了几天，后来便只剩两三个女客还住在家陪她。她们都爱听学堂的事，絮絮聒聒的问她，都还不敢相信真有那末回事。

“三婶！我也想去呢，几时我跟我大姪儿讲，你在我们妈面前揍合一下好不好?”大姪少奶奶这时也还陪着她住在这里。

“五妹总算找着一条路了，我说也好，不要管那些闲言闲语。我呢，年纪到底不行，不是我也去，过两年我是一定要把我们湘云跟五妹去读书的。”这位头发已经在脱的大声音的中年女人，是小菡的二伯娘，二伯父是出了家的，四五年没听到讯息了。

“五姐姐你就打头阵，现在他们爷们口里不说，心下是不赞成的。你明儿出了师，做了先生也给他们看看。那时我们都来，我们就笨得很，姪女儿可多的是，就都好上学了。小菡现在就上了学，怕明儿不强似这些关在家里的哥哥们么?”赵四姐是一个很爽直的女人。她也有一个女儿和小菡差不多大。

“五妹什么咧，她是中了一些小说书的毒，她最羡慕那些外国女人，现在她就也读书，不过中国终究是中国，只闹着好玩呢。”大姑太太自然是不满意曼贞的行为的，尤其是要变卖仅有的一点家产。

“不过，世界确是不同了，说是自从‘长毛’以后，外国人就都到中国来，中国人也到外国去读书，从前废科举，后来办学堂，现在连我们家里也有女学生：前晌还有人到县里讲，说四处又有些人在想造反，要赶跑满人，仍旧恢复明朝，那末，天下又得乱，所以我说将来的事断不定，怕还是五姐读了书好呢。”

于是曼贞又很利害的想起武陵了，武陵那里的确有一点什么东西使她感觉到不同。于云卿他们又新组了一个朗江学社，他们还说要出报纸，他们经常都在骂官厅，他们又都不蓄头发，成天的忙，忙些什么呢？而且夏真仁她们又写信来了，催她回去。夏真仁的信上也写些什么“天下兴亡，匹夫有责”，武陵的确有新的东西在等她。她既然已经把一些事都忙好，便不必再呆在乡下过年了。所以她等客一走，家事稍微理了一下，又清理了一些要用的东西，便再到武陵城去。么妈只鼓着嘴，不大同她讲话，她要么妈跟她一块去，么妈却只说：“等到这房子卖了我再走吧，还有这末多东西，我就守着吧。”么妈便又留着，和着老头，和着长庚还和着顺儿。老头和长庚也不高兴，因为他们在这里做惯了，还不愿找新东家，虽说曼贞同他们很好的讲过，无论如何来年总留住他们，不怕房子田卖了，还是送一年的工资给他们。而他们也还是站在么妈的一条线上，心里不以曼贞为然。他们自己以为是看死去的主人的面上来替她看家的，直等到那最后的那天，那新的屋主来逐他们的那天。

曼贞赶回来的那天，已是腊月中旬了。她只穿一件旧的羊皮袄，而大便用袄子包了又包，她和奶妈的轿子里都放得有火笼，因为日子短，便不等天亮动身，她虽说也难免有点难过，却比上一次好得多。她又看了在原野里初升的太阳，觉得是美丽的景致。大也像高兴似的，常常要从被包中伸出头来看，喊着妈妈，说一句两句短话。

过年的里面，她很闲，常常到学校去玩玩，没有事便拿起那些烙铁来烙剪小的灯草的花瓣，她居然造成了几枝盛开的梅花和迎春，她都把来送给于三太太了。她现在又比较少了一些牵累，她又卖了一点首饰，她得了云卿的同意，她住在后花园那书楼下面的三间小屋，她又请了一个烧饭的，她以为这样好些，而且安静些。现在她只预备功课，等着第二学期的开学了。

四

学校里又添了一些学生，同时也少了一些学生，好些小姐们都还觉得太苦，或者就是赶不上功课，不声不响的不来了。像曼贞的那位远房妯娌杜淑贞在第二学期来了半个月之后便也退了学。可是她又还要请好些人到她家里去玩。曼贞也是被请的一个，但是她不想去，她躲避同她接近。这天放学的时候，曼贞正预备回家去，她却一下走来握着她的手道：

“五姐！不要嫌弃，我们总是一家，我家里又没人，我本想读书，家事又丢不开，我很想有几个朋友，你们又总看我不起，我现在请你们，也没有别的意思，只想以后你们会把我当个朋友，常来我家玩玩。”

“多谢你，我怕来不成，两个小孩，总有一些事。”曼贞虚伪的谦逊着。

“唉呀！怕什么，你横竖每天都不在家的，奶妈管着小的，大的跟去好了。”这时于敏芝正走过来插着说。

“对了！还是敏芝姐直爽，好，我拜托你了，假如明儿五姐不来我就问你。”杜淑贞便又走开去找别人了。于敏芝便问曼贞道：

“她人很和气，你为什么老不喜欢她？”

“没有什么，你不晓得她就是江泰昌的老板娘吗？在武陵也算得数一数二的人家了。她铺子大还不算什么，田地可真不小，少算点一年也该有七八千租，在江家，比她房里好的自然也有，可是差的也就多得很，像我们，当然不去同她比，我们原隔得远。只是我们这几房都不大同她们来往，我们虽说也要靠田上吃饭，可总是读书人，百事都还讲点恕道，也讲点礼貌。她们那些，真是不堪问得很。只不晓得搬来武陵了怎末样，现在我们那边平县里的几家，戏文真太多，作孽得很。明日儿时空了再学把你听吧。”曼贞又想到了那些她曾听过而放在心上难过的一些非刑的凄惨故事，么妈的老二就在那边的一家做过，为了一点小事，腿被打得睡在床上一个多月，而大姑奶奶家老罗妈的女儿，就是为了被逼不过才自杀的。

“有些事我们想也很平常，你太认真了，有些乡下人偏又只服凶，你不晓得，譬如我爹……”

曼贞猛然一下想到于敏芝的父亲在乡下也是一很有

名的人物，于是她赶忙抢着说道：

“不要说下去了，同我到幼稚园去吧。”

这时夏真仁也跑来了，她来问曼贞第二天应不应该到杜淑贞家里去。因为她平日对杜淑贞的一些阔太太的架子看不惯，不大喜欢这人。

“没有事去玩也不要紧，来武陵一趟，也去看看武陵财主家，听说都是她的成绩呢，她当家已有两年了，我去年回家才打听明白，出名的能干人，不要看她不起。”

“哦，原来，我说她为什么总是来两天请一次假，其实又何必读书？”夏真仁也跟着一块儿到幼稚园去。

“只是，既然不读书了，又何必还请我们呢？”于敏芝又问道。

“我想，有钱的人总好请客，现在这里只有一个女学堂，常常得这里女教员去走走也好，曼贞姐你以为是不是？”

于是大家都笑了。

幼稚园又只剩空空的几间大屋，小菡也不在这里，她们便又踅到王先生的屋子去，近来小菡大半是同王先生玩的。

小菡果然在王先生房里，几个女教员也都在这里，大家都在讨论明天去做客的事，都知道杜淑贞是武陵的首富，更觉得有趣些。

杜淑贞的请客是成功了。第二天的下午就有十几人的一大群从学校走到她家里去，街上的人都从家里又喊出一些人来围着看，跟在后边走一大段路。柜台上的人，也伸出半截身子来观望，诧异的说道：

“啊！什么事？”

杜淑贞的家，在一条热闹的街上，大门倒不觉得怎样辉煌，可是一走过了第二道屏门，转入大厅时，便是那耀眼的彩绘的雕梁，脚下也是面着美的图案的花砖，厅中一式是紫檀木的桌椅，那正中八尺高的紫檀木的屏风，还全是用翠玉珊瑚等等砌成人物花草风景。而杜淑贞穿着得很是不凡的从厅后转了出来，满脸堆着笑道：

“呵，请到后边小花厅去坐吧，那里安静点。”

她后边走出来的另一位惊人的少妇，是还在做着新妇的她的妹妹，刚从桃源张家回来，也谦逊的来让着客人们。五六个年轻的丫头仆妇，也穿得像人家小姐一样走来候着，于是一群人跟着便转到后边去。大厅上的钟正敲两点，送出一些音乐来，好些人都奇怪着，后悔刚才没有看见。

杜淑贞一边引着，一边便指点着看那些毫无用处的鸳鸯走马楼，看那深藏在别院中的她的睡屋，那里透出好些花朵来，褚先生走在前头，这一群都跟着，眼光撩乱的走了好几重屋。才转到那所小花厅的院子来。也只是一个三开间，却布置得很是玲珑精致，屋前有很宽的游廊，前边列着一排白石花台，台上一式的排着盛开的春兰。台前地下，那月季的小红花，蔓延到好远去了。走过当中的一段小花石子路，便是一道竹篓，篓上缠着几丛没有开花的玫瑰，和刚抽芽的牵牛，篓外边便是一个小小的花园隐隐的还看见那藏在海棠后的一角小亭。这自然比于三太太家的那没有花匠收拾的小园子好多了。有好些人便不等请就走到园子里去看了。

“这里经常也没有人来，就是我也要得闲才能来这里坐一会儿。我看还是先请吃了茶。”杜淑贞便又引着她们到右手那一间去。房当中已经品字形的放好了三张梅花式的小圆桌，凳子也是一式的梅花形，上面一个精致的小坑，下面也顺着摆了两张长靠椅，她们都随便的入了桌。丫头们才又捧出细瓷的盖碗茶，桌子当中也放有一个梅花形的茶点盒子，是福建的推光漆，杜淑贞姊妹便非常有礼的请着这群客人。

曼贞自然是看惯了这些的，可是有几位乡下的小姐们，便惊异着，问这问那，甚至很坦白说一些恭维话来。

杜淑贞也有一个小女儿，才两岁，是从育婴堂抱回来的，不过却好看得很，比好些孩子都还有趣，杜淑贞也就爱到像真的女儿一样，打扮得像个小公主似的，在年轻的奶妈手上抱在这里玩了一会。

杜淑贞本是一个大商的女儿，从小就没有母亲，庶母们都不会管理家，她常常要帮她父亲，所以练得很能干，算盘打得非常熟，江家这边也是因为没有人手，她的丈夫是一个多病的少爷，侄儿们是很多的，可是个个眼睛都望在这里，只想弄点什么去，所以特别要了她来做媳妇。她来还不到五年，已掌家两年了，这两年之中她家又买了百来石田。现在他丈夫身体也好了些，索性把家交给她一个人管理，自己上省城进了一个中学堂。家里除了一个老姨太太就没有别的人。老姨太太看见她能干，很喜欢，却也让着她几分。侄儿们个个都怕她，也说她利害。所以她到自由自主，没有人管。她因为娘家在武陵，所以她们也不打算回平县去了。她又因为娘家的人是做生意的，丈夫这边的人也不大用心读书，她很想读书，这回她丈夫的到省城去，当然也是她的怂恿，不过她虽说自己不能读书，却愿意有几个读书的朋友，所以她才这样热心的招待她们。

大家吃了一会茶，又吃几样厨房里自己做的点心，随随便便谈话，才又散开了坐。杜淑贞又叫丫头捧了几样西洋玩具出来。她妹妹倒还像一个小孩子，玩得很有趣的。于是又有些人到园子里去玩。杜淑贞又去叫了照相师来，起初大家都不肯照，你推我让，后来就都照了，杜淑贞又特意只同曼贞和夏真仁说道：

“我再讲一句蠢话，你们莫笑，我以为我们再邀几个人结拜一下也好，都要志同道合，大家一条心，将来有帮手，要做什么事也容易些。我现在虽说不能上学，可是心还不死，愿意同你们一块儿干，人不中用，就在别的方面出点力也行的，你们以为怎么样？改日再到我家里来谈谈好不好？”

她们都笑了笑，说好的，不过随即又谈到别的去了。这天大家又在这里一直玩到吃晚饭。吃过了饭才分别打轿子送回去。

自从这次以后真的也就常有人到她家里去玩。她又经常打发仆妇来学校接。不过曼贞她们终不十分和她接近。又加之她们都是一些最发愤的人，只有觉得时间不够的。

这个时候，于云卿他们的朗江学社已经办了一个八开张的报纸名字叫《朗江之光》，是金先生的丈夫程仁山当编辑。他们不只办了这个报，还经常替上海出版的几种杂志报纸设代派所。武陵的好些青年就都以那里作了一个中心。而这些报纸杂志，便很流行在学堂里了。现在学堂里常常拿来讨论的便转换了题目，这个问辛丑条约的内容，那里又在赞叹林则徐：

“要都像他就好了，只是皇帝不争气！……”

关于鸦片的害处，曼贞是最清楚的，于是她便要向她们述说一些她家里的关于鸦片的事。她家里几乎全部都是吃烟的，一家总有好几盏灯，做父兄的因为要吃，便禁止不住子弟，所以十几岁孩子也就有瘾了，小菡的父亲也就是从十五岁便开始，到后来几乎每天要六两膏，泡替他打小了便不高兴。尤其是那些伙着来玩的，深怕哄不住，便用这些东西来麻醉，男人们成天到夜都躺着过日子，女人们也就跟着学，所以这一辈子人要比起上一辈子真差得远了，不说功名事业，就是那付柴一样的身躯也不像人。当然这些“文化”，也还是一些做过官的爷爷们从外边带回去的。

谈过了鸦片战争，便又转到教会的身上，蒋玉家里曾经同一个教民打过官司而失败了的，所以她最恨洋人。于敏芝便也非议着说道：

“都是些流氓，好些的人那里肯劈了祖宗牌位去信教，现在这城里已经有了两个教堂，官怕他们没有法子，东门外已经买了好些地皮去了。”

“看看我们的地图，这十几年来去了多少！瓜分中国总快到了，那时就都得做亡国奴，人民假如还不自觉，大家联合起来先把满清赶跑，自己立国，真是不得了！”夏真仁，常常用了民报上的一些话，在这群朋友中显得最激烈。

“我看我们舍弟和程仁山他们说不定也和革命党有关系，他们都是去过日本的人，专门研究些法律政治，不过他们办报纸，在学堂里宣传，却不大肯同我们说，不然我们也可以多知道外边一些情形，……”

夏真仁不等曼贞说完，便抢着说道：

“看不起女子呢？可是女子之中也有像秋瑾那样的，我们只要多读些书籍，不是那些时文八股，我们能干些，也不怕他们，不过我总还以为秋瑾太傻一点，……”

“在外国也有罗兰夫人……”吴文英也显着她那幼稚的脸。

“像革命的事，第一要有人，第二也要钱，你们不看见他们跑东跑西全都在外国一些华侨那里弄来的吗？我们只好看看好了。就是程仁山他们也不行，他们办报的钱，听说也还是他们自己从荷包里掏出来的，前一晌金先生不是说他们想卖田吗？我以为倒是我们大哥那里或许还有点用，他总有兵，又有洋枪，不过他的事也是秘密得很，大嫂子是知道的。大嫂子也进了召南女学堂呢，我们得有一批钱才好。你们以为怎么样？”于敏芝一说完便用她那眼睛在玻璃杯底里似的镜子后来望人。

“是的，我听我大姐说过，说仁山要卖田，可是他爹妈都不准，实在他们也没有好多田，至于讲到我们，你们都是些毛头姑娘，千争万争得到这学堂读书，已经算了不起了；我呢，我虽说可以自主些，我又是个寒士。我们想也为国家尽一分力，说钱是没有希望的，不过我却有这样一个主张，先把人马弄起来，多邀一群人，然后我去同舍弟说开，假如他们真的是革命党，我们就同他们一块儿，要我们做什么就做什么。假如他们不是革命党，我看也不过同外边的没关系，他们也是赞成我们的，那我们也和他们一块儿还要他们同外边生关系，你们看好不好?”曼贞近日的快乐更映在脸上。

“好，我赞成！假使有需要到我的地方，我是不怕死的。”夏真仁紧紧的握着曼贞的手。

然而蒋玉又说道：“好当然没有什么不好，不过秀才造反，三年不成，何况我们。我们手无缚鸡之力，又无管仲之才，你们看从中兴会起，多少次的发难，没有一次是成功了的，除了一些人砍头以外。我说还是读书，等到将来再说。”

“玉姊的话是对的，就是金先生她也不管外事呢。”吴文英便又附和着，她很高兴听一些关于行刺的故事，她觉得那些人，都可爱，她尤其爱年青的炸德寿的史坚如。可是她一想起他们所受的惨酷的刑罚，一方面是觉得钦佩，一方面却实在有些怕。她不敢赞成夏真仁的激烈，和曼贞的计划，所以便赶快表示了她的意见，她怕真的要去做。

于是谈话便没有结果。可是第二次第三次的大家又还是高兴的谈下去，当着从报纸上得了一些新的刺激的时候。然而尽管谈，却也仍旧谈谈又放开了。这里面只有夏真仁最热心，她看到大家都还是小姐们一样，虽说已经知道了一些国事，从一些地理课上，从一些报纸上，好像也很热心来谈论，可是你看她们上手工，上图画也一样有趣，甚至对于衣裳，也还是有趣。她很想离开了这里到外边去，却又连路费也没有。要困住在这里，她又忍耐不住一些难过，当她一想起那些卖国的耻辱的时候，她觉得非常痛苦。所以当有一天下完了课后，她便一人跟在曼贞的后面走到幼稚园去。曼贞常常不能在幼稚园找到小菡，却总还是先到幼稚园去，这天凑巧小菡一人还在那里，她正坐在一个摇篮里，书包放在她身上，她一看见曼贞便站了起来叫道：

“妈妈!”

摇篮便动荡着，曼贞赶忙抓住了那垂着的绳子，一边问小菡道：

“怎么一个人在这里?”

“玉哥哥不准我同他一块走，他踢我，我告先生。”小菡歪着一个脸望着跟在后边的夏真仁。

“不要同他们吵架，不要告先生，你下来，同妈妈一块回去。”

“妈妈！姨姨在那里笑。”小菡便指着夏真仁笑了起来。

曼贞才转过头去，看见了夏真仁，也笑了起来道：“你要骇哪个？”

“没有，我想同你谈谈，唉，你太爱小孩了！小菡实在惹人爱。曼贞姐，我们一定要好好教育她，你莫重男轻女。”随手她便把小菡从摇篮里抱了出来，“小菡，你喜不喜欢读书？姨姨买糖糖给你吃？”

“喜欢读书，不要糖果，要洋船。”小菡还记得在杜淑贞家里看见的一只精致完备的大轮船。

“好，一定替你买，”于是夏真仁便也想起了杜淑贞，她牵着小菡走到一条矮长凳边，坐了下来，问曼贞道：

“你看杜淑贞那人怎样？”

曼贞也坐了下来说道：“这人么？或者还很好，不过有钱的人的周围总少好人，因为有钱的人只爱受人奉承。”

“那末你说于敏芝她们呢？”

“说她们什么呢？你问怎的？……”

“我是说你的那个计划到底要行不要行？你也许比我好些，因为你总有些家事，我近来不知为什么，常常一想起国事，就如芒刺在背，日夜不安。我来武陵，也就因为自己一个人太孤单了，想找几个师友，现在这里的人，我看还是只有你可以商量。我早看出你的力量，要是别人处在你的境地，早就打下去了，还会这样奋斗吗？也只有你是一个热心肠的人，你索性没有孩子累着，也许还会更好些，你说是不是？”

曼贞一边听着她说，一边心里又难过起来，过去的一些凄凉日子，和现在的寂寞的挣扎，平日是不愿意向人诉苦的，于今又都回旋到眼前。她从来没有听到人这样同她说过，也没有晓得这个年青的夏真仁会了解她。她又想到孩子，小菡不是那末闪着怪懂事的眼睛来听她们说话吗？于是她望着小菡的已是散乱了的两条小发辫答道：

“不是的，过去的时日，我是太享福了，因为我的父母太爱我。而现在呢，我也仍然是享福的，因为我的孩子都还算乖。你说我没有孩子会更好些，我不懂，我实在都是为了孩子们才有勇气生活。那个时候，唉，我是连像你这样的朋友也没有的。我现在，这大半年来，得了你们许多帮助，才算懂得了一些事，从前真不懂得什么，譬如庚子的事，听还不是也听到讲过，那里管它，只要兵不打到眼面前就与自己无关。如今才晓得一点外边的世界，常常也放在心上气愤不过，不过我假如现在真的是去刺杀皇帝，我还是以为我是为了我的孩子们，因为我愿意他们是生长在一个好的光明的世界里，不愿意他们做亡国奴！”

夏真仁又把小菡抱起来坐在膝头上，因为小菡不懂得她妈说些什么却又似乎已经感到与自己有关，她不安的去握她妈的手。所以夏真仁便赶快来抱她，而且说道：

“小菡！妈妈喜欢你，姨姨也喜欢你，你不要闹。”她又用脸去挨了她。又接下去说道：

“曼贞姐！你讲的不错，我相信你，不过你到底能丢开小孩么？”

“那些事当然还远得很，事情到了面前再讲，也许这样，也许那样，现在还是讲现在吧。你到底年纪青些，多梦想。”

说得夏真仁也笑了。于是她又说道：

“那就讲现在吧，依你的计划我们先弄一批人马，你说怎么弄法？”

“怎么弄法么？”曼贞便又望着她笑起来，“像你动不动好像就要上阵去，或是刺人去，那是一辈子也弄不起来的。莫说这群小姐们，就是少爷们也要骇跑。我看我们先算算人数，有好多，邀了起来，起个名目，只说读书，互相帮助，将来在社会上做事，也要互相提携，这样，我包你都肯来。慢慢多懂得了一些事，你又经常鼓吹，我们还要堂长讲几次，他也是维新人物，那就又容易办些了。以后我再同舍弟讲，有些人可以不告诉她的，我们就不告诉，你看呢，这样行不行？”

“行！行！我们就这么办吧！小菡，你也来一个！”夏真仁小孩子似的便跳了起来，于是她又算着人数：“你，我，于敏芝，吴文英，蒋玉，我嫂嫂也可以，唐蕴也还好，你说怎么样，还只七个人，呵！杜淑贞去邀她么，你一定不赞成。”

“杨毅倒很好，她虽不大说话，我看是很踏实的。你说好不好？”曼贞不答她却只问着她。

“好，对的，她是很好的。只是杜淑贞呢，我以为有她也好，她不是还同我们说过，愿意同我们结拜？”

“我晓得的，有她也有好处，不过这个好处却靠不住，我是从这种家庭走出来的。不过，你既然赞成，那也就好，不过我们却不要存这个心，以为她或者会肯为公益拿出八百一千，假使安上这个心，倒反不好，我看，就这样好了，明天，或者今天你就到她家里去一趟，就说依她的话，我们结拜姊妹，明天我再来同敏芝她们说。现在我要回去了，家里那个怕又在望了，近来他一到这时候就有点吵。小菡，你的书包呢？”

“好，我今天就到杜淑贞那里去。我送你到门口好了。”夏真仁便又在摇篮里检起了小菡的书包。三个人便走出了幼稚园。

果然一邀都欢天喜地的答应了。大家都出主意，想在这天大大的热闹一下。杜淑贞要邀到她的园子去，于曼贞却也抢着要做主人，她说她年纪大些，后来决定在曼贞的家里了。曼贞在没有出嫁以前的时候，嫌亲戚家的姐妹们来往得不勤，也曾在这后园子结拜过一些姊妹，而且还要一个月里请几次客，常常热闹热闹。她的父母都钟爱她，又看见她们姊妹们聚在一块也不过谈谈针线，谈谈小说，下棋吃酒，就也不管她。后来大家都出嫁了，有的离了武陵，不离开的不是为儿女缠着，就是为家事缠着，行动都不自由，好容易盼到一个机会，才能见一次，谈个半天，要大家全聚在一块儿就不可能了。曼贞在小菡父亲没有死以前，常常一回武陵住的时候，便要感到寂寞，想念那些儿时的朋友，她的妈也常常想法去接一些客人来，但是那些客人都变了，亲热里却透着虚伪，后来小菡父亲一死，一切的事情她都不愿去想，有人来看她，她便心里感谢，没人来理她，她也不怪，人情的冷暖她已经历得很够了。她是从没有想到她又会在这后园里来接待她的新的姊妹们的。何况这些新的姊妹们，已经不是只图大家聚在一块儿谈谈笑笑，而是愿意在社会上，在事业上永久团结在一体，共同努力的呢。过去她是怕孤单，她一个在孤单里向前奋斗，她不敢希望有朋友，然而现在她却有了这末多的朋友，至少她们都是了解她，同情她，愿意帮助她，同时却也要她的帮助的，她真是说不出的高兴，她同小菡说："你知道么？等下有许多姨姨来，你的真的姨姨们呢。"她又同大说："不要认生，懂得么？姨姨们都喜欢你的。"小菡看见妈高兴，便跳跳蹦蹦的笑着，大也跟着笑起来。她同于三太太也说了，并且还请了她，这天便只有她一个人是客。于三太太也笑着答应了。她近日又似乎同曼贞好了许多。原因是曼贞已经分开住，自己料理一切，同时又总还是要照顾她的上学的孩子们的，两边的丫头老妈子离远了些，也就要少生许多事。而云卿又正要预备出门了，他吵了好久都要到上海去，现在他真的要走了。曼贞又叫了腊梅来帮忙，一家人都晓得了这天姑太太请酒，结拜姊妹。

吃过了早饭，便都陆陆续续的来了。杜淑贞又特别备了一份礼，由曼贞伴着去见于三太太，也跟着叫舅妈。在前边坐了一会才回到后边来。后边的园子自从曼贞来住后，便已经收拾得很干净，现在又正当暮春的时候，有些花虽说谢去，有些却正开得茂盛，像那棚上的木笔，花台上的牡丹，绣球也还是鼓着雪白的大球，盆中的小玫瑰和小月季，也透着浓烈的香味，更有那树下路边的一些紫色的蝴蝶花，和白色的野玉簪，烂漫的洒在那些嫩绿的草间，真是可爱得很。临园子的几扇大窗，都吊起来了。又是一个大晴天，好些蝴蝶和蜜蜂都不时要飞到屋中来，一些小雀子也要飞到窗外的阶上，吱呀的叫。他们便坐在房子里争着发表一些关于仪式上的意见。大红洒金的兰谱也摆在书案上了，只等专会写字的于敏芝去填，于三太太也送了一对大蜡烛和一万响的炮竹来替她们贺喜，还有几色点心。秋蝉和腊梅都在辫子上扎了大红绳子。后来还是依了曼贞和夏真仁的意见，免除了一切仪式，只变换兰谱，兰谱上也仿了流行的那一套，只加了一些什么“共同努力互助，如有违约，人神所弃……”蜡烛真的也就点在书案上，还燃着檀香，于敏芝恭恭敬敬的伏在这里小小心心写了两个钟头，大家又签了字，才算完结。炮竹因为留着没用处，也就在院子中放了。小孩们检了一些，又拿到花园里去放着玩。

到吃晚饭的时候，于三太太到后边来，一共十个人团团的围了一个大圆桌。小孩们便坐在旁边一个小方桌上。现在她们一点都不拘束，也不客气，都因为高兴，又因为在学堂里玩惯了的，所以总是有讲有笑。有几个同于三太太是很熟的，有几个还很生，可是也很亲的都赶着叫三嫂子。吃了两轮酒，蒋玉又提议要来一个玩艺才好。杜淑贞便说最好一个人要说一个笑话，说得不笑的便要罚酒。于是好些人都反对，因为不会说笑话的太多，后来还是于三太太说道：

“五姐，你的那些玩艺儿都拿出来吧。你们不晓得她肚皮里的东西才多，她原来就是一个好玩的，你们要她检几套啰，我是不会吃酒，只能陪着看看……”

她们便都催着曼贞，曼贞才说道：

“明堂是有一些，从前做女儿的时候，倒是常常玩，近来要来怕也不行了。曲牌名，现存的一些诗，词，人名都记得少了，行头也没有，几时我弄了几套东西再来试试。我看还是来点简单的：园子里有的是花，小菡的小鼓，就来它一套击鼓催花。或是索性就野一点，划一堂拳，要不会划拳，便拍七，这个文一点，又容易学，你们看来怎样，由你们检好不好？”

大家的意思，是都要来玩一次。于是秋蝉便在园子里折了一枝花叶并茂的牡丹，腊梅在外边掌鼓，曼贞拿过了那枝花便又说道：

“这个酒令容易得很，譬如我起令，我先喝一杯酒，说一句诗，然后喊击鼓，我便把花递给文英，文英便递给淑贞，淑贞又递给……这样轮传下去，鼓声一歇，花落在谁手中，便归谁喝一杯酒，念一句诗，诗里要包含得有眼前的东西，如若没有便要罚三杯酒。说不出诗，讲个笑话也可以，于是便又传下去，直到个个轮到才算完。你们说好不好？好，那我就喝酒，我一喝了酒，我就是令官，不听我的令的也要罚三杯。”于是她喝了一大杯，接着便又念了一句诗“酒醉梦断四十秋”。还等不到她来喊打鼓，鼓声便冬冬的响起来了，花也就跟着鼓声轮流的传着，大家都用着好奇的，惊恐的心传递着，小孩都不吃饭围着来看，奶妈抱着大，前边的奶妈也抱着意儿赶来了。花刚刚一传到于敏芝手中，鼓便戛然的一下便停住了，于是大家都哄然的笑了起来。于敏芝也轮着近视眼四处的望着，又气又笑的说着：

“三嫂子！看你的丫头来和我捣乱。”于敏芝是不会喝酒的，推辞了半天，也只好喝了一小杯，于是她便也念了一句：“钟鼓乐之。”

第三次便又落在杨毅的手中，她也吃了酒，念了一句“殷勤木芍药”，可是有几个便跳了起来笑道：“只有牡丹，没有芍药，”杨毅不服输，又不会说，急得把脸也红了，还是曼贞替她解了围，说不能以辞害意，她这句的意思实在好，芍药原是草本，牡丹才是木本，所谓木芍药，便正是指牡丹，应大家贺她想得好，不能罚她，这才大家反吃了一杯，于是又轮流下去，都说了。夏真仁也说了一句“隔江尤唱后庭花”。

时候已经很晚了，曼贞怕学校关门，便不再玩，只说装饭来吃吧，大家也因为笑得太利害，都又不大会喝酒，已经有几个醉了，也就嚷着口渴要浓茶喝。于三太太也说道：

“五姐！你还记得么，从前我们那时叮嘱打鼓的专门捉弄大姐姐和桃姑娘（老姪少奶奶），让她们讲笑话听的事么？日子真快！”

自从这天过后，又吃过几次酒。有些同学便更和她们要好起来，有一些面子上不说，心里却很不舒服她们。不过她们也并不理会这些。真的倒更用功了，因为堂长已经告诉了她们，说这学期完结时是毕业考试，不过还是要继续办下去，那时就改为本科，现在是预科。她们都怕毕业时考不上前几名，所以更加努力读书。那些不舒服她们的，看见她们成绩好，更不敢得罪她们。那些要好的也就更来要好了。

于云卿在四月底真的便动身到上海去了，他在动身以前真的便由于曼贞等的意见，堂长便把他请到女学堂去讲演了一次，题目叫做“怎样振兴中国”，他以慷慨激昂的态度和言词，使许多人倾心佩服，尤其是夏真仁，她对曼贞说，“令弟真不愧为一个革命志士！”曼贞心下也非常高兴，她便在云卿动身的前夜问他道：

“你到上海去，有什么目的呢？”

“没有，没有，不过在家里很闷，想到外边走走，有机会便活动活动。”

曼贞便又担心的说道：

“能够走走是好，不过百事总要小心谨慎，你也快三十岁了，小孩是四个，家里人少，弟妇年青，假如没有事还是早点回来。在家乡也是一样，我看你们教书，出报，也就很好，这还不是一般事业，你以为怎样？”

云卿便也笑道：“你过虑了！放心，放心！我多则一年少则半年总回，实在我也想趁你在家，孩子小再到外边玩玩。还想外边若有事就找个事做，并不是怕家里不够吃，假如在外边能站得住一只脚也好点。现在的世界，一天不同一天，一赶不上将来就不行了。所以玉儿他们将来大了，怕都要学科学，中国就是不被瓜分，也要赶跑满清，这是一定的，我倒还想赶快学点应用的东西，所以才想再到外边去看看。”

曼贞听到他这一番话，才算放了心，于是又问道：“程仁山怕是个革命党，你同他一块的，也加入了么？我们学堂里倒有几个想得很呢。”

“不晓得，也许他有关系，不过这也不希罕，我革命党倒认得几个，可是自己却不是，武陵的革命党，算什么，几个穷光蛋，弄几百银子就算了不起了。百事总离不了钱。所以这里的事，没有做场，要到外边去。”

最后曼贞便又托了他：“假如有什么地方，有机会，我们这里有几个很热心的，你留心一下……”

自从于云卿走后，家里的门户便也紧了好些，经常底下人没有事便都不准出去。一吃过了晚饭，大门便上了杠，曼贞要带着老妈前前后后查看一回，回后边时也给于三太太一个招呼，当中的墙门每夜也上了锁，前后安了一个警铃，有事时就拉。曼贞虽说多添了一些事，心中倒也一样平静，后园子里的夜晚，总是安静的，空气也清鲜，园子里不时都有花香味吹来，常常一到了有好月亮的夜晚，她就要一人留在花园里一会，天气已经很暖和了，她最喜欢这种夜晚，觉得有说不出的幽趣，可是也有一缕淡淡的寂寞袭上心头。有时小菡也陪着她走一个圈，或是靠着她的膝头坐在傍边的石头坎上，她不说话，望着那银白色的月亮，和那沥青色的天空，有一丝薄云在飞逝。小菡也不说话，望着她，也望着月亮，望着天空，还望着星星，星星在闪呢，月亮里有些什么呢，慢慢的小菡便睡着在她膝上了。于是她便把她抱到房里大床上去。小菡就朦朦胧胧地睡去了。

大现在身体也强壮了好些，已经在吃饭了，虽说还不如前边的比他小两个月的意儿，却也自有他可爱的地方。他没有他姐姐活泼，天真，却已经显得是一个比他姐姐利害的孩子。他玩他的一些小玩具，木头的小碗，小罐，磁的小菩萨，奶妈替他做的一些香袋子，他从不会把它们失落。他也从不让同他玩的意儿，仲儿，小菡来欺服他。他时时都不忘记防卫自己，他预备着利害的回答给那些敢来侵犯他的。他也没有从前好哭了。也不怕生人，却从不肯理睬生人。有时候她妈把他带到学堂去玩玩，他也只坚决的紧闭着小嘴，和张着锐利的眼睛去望人。然而一离了这些人只同她妈在一块儿的时候，他便非常懂事的望着她笑，学一两句刚刚学会的话给她听，他要她读书，他奇怪的注意的望着，他又会心的笑了。当他妈写字的时候他一定也要抢笔来玩，在纸上乱涂，自己一个人又高兴的笑着。曼贞就爱他这些，说他是比小菡有用的孩子。

曼贞带着孩子们忙忙碌碌，早出晚回，到也不觉得夏日的长，一忽儿就又是暑假到来了。这天正是大考完结的那天，她觉得近来忙于考试去，竟有好久没有同她们闲谈，所以这天她特别把小菡早使人送了回去，便又踅到后边寝室来。几间寝室里都静悄悄的，没有听见一点声响，只有茂密的芭蕉，轻轻摆着巨叶，她便一直朝后边走去，一边喊了起来：

“敏芝！敏芝！”

“呵！曼贞姐！你坐下么？我在洗头。”夏真仁一手托着倒转的长发，张着脸，走后边的小院子里答应出来。

“呵！稀客！曼贞姐你好久没来后边了。敏芝姐到会客室去了，他爹来了。”另外一个姓张的女同学也正在那里洗手绢。

“假还没有放，怎么人就走光了，一路走来，一点声音也没有。张小姐，你假期不回家吧？让我也来洗一个手。”曼贞便也走到洗脸架边去。

“不回去。可是她一定要回去。”她用嘴朝夏真仁嘮了嘮。

“真的吗？”

“等等我同你讲吧，我洗好了。”她已经把头发拧干，披散在后边，用一把大梳在梳它。

这时寝室里也走出夏真仁的嫂嫂，夏友梅，她有点胖，刚刚睡醒了起来，眼睛还是红红的，她有点难为情的说道：

“我昨夜没有睡好，老记到早上要考的理科，一缴了卷子就跑来睡了，也没有翻翻书，看错没有。曼贞姐，你来多久了，我也不晓得，呵，天气真热，我也想洗洗头。”

“白天睡觉自然热，今年还算好的，热的日子在后边。还有人呢，她们在那里？”

“我和你找去，你等一下我。”夏真仁便又把头发分开，松松的编了两条辫子。她年纪小，人又不肯长，高高的卷着两条衣袖，底下又散着两个大裤管，薄薄的一双天足，面孔因为天热，泛着一层淡红，虽说不是一个漂亮的姑娘，却现得很是活泼的样子，曼贞便也笑道：

“真仁！你要这样才好，平日你太装得老气，你还小得很呢。你今天似乎好看得多。”

“嘿，你笑我了！我说让它难看点也好，我不管它。”夏真仁仍是那末平平常常的答应她，不管在旁边忍住笑的张的颜色。

“小菡呢？”

“进回去了。”

她们便排着走出寝室，夏真仁又拿了一把芭蕉扇扇着湿的发辫。

“为什么要回家？你们是那末远，下学期赶得来么？”

“我同你往那边去，她们一定在那儿，那是我们新发现的地方，最凉快，人又找不到。赶是赶得来的，下水到快，就这一路回去，坐一个多月的船，怕苦死了，不过回去一趟是好些的，我三哥回来了，趁着他在家，他可以替我在我爹面前说话，不是爹不准我读书了。同老人家，要执拗也执不来，还有我四嫂，她同我出来，家里也是说空话的，几个嫂子围着我爹吵。实际上四嫂也用不着家里什么钱，你知道我是很省俭的，也为的是不愿四嫂在家里拿钱用，我就分些给她。现在爹写信来，发气得利害，所以我想还是回去一趟，把事情弄弄好，再下来。不过，曼贞姐，你说我假如到省城去读书，你赞成么？都说那边学堂办得好些。”

这时两人已经走到大桑树底下，有些小的野蚕从桑树上落下来。树上正结着大的桑葚。她们便在那围着树身的石砌的圆台上靠着。

“到省城去吗？那当然是好的！”曼贞也兴奋起来了，“你是应该去的，这里自然一切都要不如些。只要你家里许可，那你就去吧，不过总要常常同我通信。”

“你慢点讲出去，我回家了再说，实际我家里走旱路到省城比到这里还近，假如省城真的好，我就写信来给你，你们也去好了。”

“我是没有希望的，你看两个小孩，就是下学期读书，钱都还不知在那儿，家里的房子还没有卖脱，好，现在不讲这些，还是去找她们吧。”

于是两个人便又排着朝后走去，而背后又不知谁在喊：

“曼贞姐！你还没有回去么？你们慢点走，等我一等。”于敏芝捧着一脸盆红透的李子吃力的在她们后边追了跑来，她的脚虽说已经放得很大可是走路时总还看得出。

“什么东西？快点来。”

原来她的父亲特意来看她时，又给她带来了许多点心和水果，水果都是乡下家园里的，她的父亲要她回乡下去过夏，她的母亲常常想她想得流泪。他又告诉她姪儿们也大了好些。弟三的嫂子又是大肚皮。今年的水果结得少，谷子却好，她要一出城就看得出来的。她的妹妹虽说还只十四龄，却也把婆家定好了，婆家已经就在催，他爹没有答应，年纪太小，是一层。另外还有一层理由，他就没有说出来，意思是要等做姐姐的嫁过后。他爹还说了许多，都是一些温柔的旧梦，她也想起半年没有见面的妈来了，她问是不是她妈已经脱光牙齿，因为有一次她做梦梦到，听说没有才放心，然而也哭了，是一些多么有趣的眼泪呵，原来是想笑的，不知为什么却反而哭起来。她已经答应了她爹，过两天就一块儿坐轿子下乡去。

她们找到了她们，在几个空着的教室当中的一个院子，那里不会有其他的人去，几间教室都空在那儿。院子里的草很长，有两株盛开的夹竹桃，还有靠墙栽着几排细竹。她们在饭堂里搬了一张方桌来，和几把椅子几条凳，她们因为赶考试，要找清静地方读书才发现出来的。现在一空了也要躲在这里来谈天。

“啊呀！好找！要不是真仁，我就找不到。”

“文英那丫头呢，她回去了么？”

留在这里的是蒋玉，杨毅，和姓王的两姊妹，还和另外一个姓杨的。

于是大家便围着吃起李子来。敏芝津津有味的便传述着她家里的许多事迹，那些她熟悉的，甚至那些石头，一半埋在土里一半伸在外边的，那些田坎上的缺口，水就从那缺口处滗滗泊泊的流，她都亲切地讲到了。大家一边听着，一边也就想到了自己家里，在怀想着的家乡是最美满不过的，于是大家便都逞着争着来讲。那姓王的妹妹还拉着她姐姐请求道：

“明天要姑妈打发人送我们回去呀！”

曼贞也想起灵灵溪，那美的，恬静的家呵！那些在黄昏里的小山，那些闪着萤火的灯光的小路。那些在风里呻吟着的树丛，那树丛中为星光扰醒的小鸟也拍着翅膀。灵灵溪的溪水和月儿戏着，又逃到下边去了。她实在怀念着那里，那个安静的，却随处荡漾着柔美的生命的世界，是属于她和她的小孩的。那里的春风，曾吹散她的忧愁，而给与她生活的力量的。她爱它，小菡也总不能忘记的，然而，她想到的时候，是多么形容不出的一种酸楚侵上心头。那个家，那里的一切，那里的天和地，流水和气息，都将是属于一个陌生人的了，她们永远不会再有那地方，而且，她的家，她也想不出什么地方才可以说是她的家，她是一个没有家的人，她的孩子在那儿，那儿便是她的家。她怕听她们有趣的说下去，她也不愿打断她们的兴趣，她只随便的问杨毅道：

“你也回去么？几时动身呢？”

“不，我不想回去，我想暑假中在学校多读一点书。”

她听到她说不回去，一点高兴也没有，却深深的同情着她，可是她也不愿意问出她的理由，只又说：

“好，我一定常常来看你。”

“那好极了，我还想请你教我叠绵，我想叠两块横镜屏，和造一枝花，下半年我表姐出嫁，我想送她。”

“好的，我一定来帮你。”

一放了假，学校就冷清多了。好些人都回家去了，只有杨毅等六七个学生。褚先生们也全走了。金先生也搬回家里去住。吴文英她们也很少出来。就是曼贞也要五六天才约好几个人到学校去会一次，玩半天。不过学校里的几个远处学生，到也逍遥自在，甚是好玩，因为学堂里地方大，凉爽，没有什么规距，书看厌了，便做点手工，又到操坪去跑跑，有时还教留堂的麻阳婆去买点凉面，凉糕水果之类的东西来吃，一边吃东西，一边还要下棋或是轮流讲故事，所以到也很有乐趣。

曼贞住的后园子，也非常凉快，有时晚上于三太太在前边闷不过也带着珠儿来后边园子里坐一会，有时玉儿和仲儿也跟来了，几个孩子便又扭着姑妈讲故事。曼贞便又得讲一些水帘洞，或是风火山的故事给他们听。都听得有趣极了。

大姑太太也常常回来。她是一个会说笑话的人。老姪少奶奶也特来做伴的住了好久。她又总是爱凑趣，连腊梅她们她都要奉承几句，所以人人都欢迎她。有时又特意把三姑太太也接回来，在白天家里自己几个人玩玩纸牌。曼贞自从进了学堂，便少有时间玩，现在因为是暑天，做不了什么事，便也偶尔玩玩牌，不过总没有多大的趣味，她想起从先半夜里偷着起来，只穿睡鞋，闪过她妈的睡房，走到前边的三姑太太房里和几位姊妹玩牌的事，像做贼一样的，话也不敢大声说，轻轻的数着铜钱的那种趣味，不知到什么地方去了。坐在对面三姑太太也像回忆着过去的事，她忽然说道：

“五妹，想起爹来真是有趣的人，他老人家，真是威风凛凛，也不知办过多少大事，同我们玩牌，也就像个小孩，你把他骗得那末快乐。”

于是曼贞也笑起来了，便向着于三太太说道：“真的，可惜你没有见着，那他老人家有时比妈还要慈蔼，不过对儿子们是要严厉一点。我和三姐同他们两个老人家打牌，云卿就看牌，他看到他一要什么，就告诉我，我就装着不懂，说他是要另外一张，偏不发出来，偏只肯发手上的这张，他也真的作急，以为我捉住他了，谁知一发出来，正是他要的，他的声音又大，打起哈哈来满屋都听到了。他就天天赢我们的钱，赢了去又还了我们。现在想起来，真就还在眼前一样，那才是快乐的日子呢。”

珠儿她们也要问一些关于爷爷的事，或是关于爹小时的事，听到姑妈讲爹还只十三岁，就入了学用红花线扎一个麻雀尾巴（小辫子）穿蓝衫骑白马到圣庙去，家里一趟两趟的报子来讨喜钱，孩子们也便不知所以然的快乐着，而且羡慕着。

家里一没有客来，曼贞就要带着秋蝉老妈在一个门板上糊布壳，棕壳，而且带着她们把孩子们的鞋袜做起来了。她自己的旧鞋子又小了，也得赶新的，还得多预备一些。她又计算了一下钱，她实在还得省俭点，她想大快到两周岁了，那时就不必再用奶妈，要秋蝉带着，小菡已经很乖，不消人带，她又成天在学堂。而且无论如何，乡里总还有一点谷子，么妈一定会替她寄钱来的，她已经写信去了。她把许多事稍稍预备了一下，便也就安心的这末过去。心想胡乱的就这末混，日子终有得来的。她又替几个回到了家乡去的朋友们去了信，一心只等这闲暇的暑假过去，那时就又要开学了，又要忙忙碌碌的上课。

可是还只到七月里，街上便不时有谣言。带回这些谣言的，总是看门的老于。老于先也只把这些在后院子里和厨子说，老妈子听到便又和奶妈腊梅说。于三太太只看见她们常常交头结耳，咭咭咕咕，便问她们，她们才说出来。说是那里怕又有神兵要打来了，又说是那里造反。于三太太骂了她们，不准她们说，可是老于是连续不断的说一些新消息，终竟还向于三太太也说了。这天他刚在前边同了玉儿兄弟玩，他告诉玉儿打拳，正恰巧于三太太走出来找他们。玉儿一见他妈，便赶忙告诉她道：

"妈！妈！看我，我会打拳，老于教我的！老于说'长毛'又要来了！"

"哼，好，打得好！"她又看了看站在下面不动的老于，才又问道："噎，你到什么地方听来这末一些红的黑的，说得满屋见神见鬼。你晓得吧，老爷不在家，谣言少听一点，有什么确实不稳，就告诉我，请那边二姪少爷过来。"

"是讲得满利害呢，衙门里都到省城请兵去了。到底是什么回事我也弄不清，说是城里有歹人，又说是省城更不稳，算命卖卜的都说看星相今年要动刀兵。前头老爷写信来不晓得说什么没有，外边到底也还安静么？"

于三太太被他一说，不知还是信好还是不信好，只好说道：

"老爷来信，从没说起这末一回事，假如真的有什么不稳，他一定会回来的，可是他也没有说起要回来。

我怕是谣言。那年不是也说过一阵要打仗，后来还是声息也没有听到一点么？你再去打听看，不要在家里乱说骇人。”

过了几天，大姪少奶奶又从前街上的二姪少爷家里带着新的消息来了。她告诉这位婶娘的时候，都还带着一点气喘，因为她要表示她对于二姪少爷夫妇的气愤。

“他们是晓得许多事，二哥他天天都到朗江学社去，那里听得到一些消息的。我吗，就问一问他，免得家里大大小小惊慌，是谣言也要辟开，谁知他们俩还一阵把我叱着，说我不镇静，喜欢听丫头们的话，那里有那末一回事。骂我一顿倒也算了。偏偏他们昨夜晚又商量什么时候搬家，什么东西要清理……许多话都被那小丫头福儿听到了，今天一早就到后边说，我来的时候，我们那位二少奶奶果然在那里清理箱子。婶娘，你说可气不可气？假如真的有事，也该告我一声，我还有个儿子住在城里。而且他又明知叔叔不在家，婶娘这边没人，总该来商量照顾一下，这样瞒着，真不知存的什么心？”

“哦，真的有这末回事么？”于三太太心里也有一点不安起来。

于是大姪少奶奶又说了一些她们那里听到的差不多的消息。于三太太便打发人到后边把曼贞也请来了，商量着这回事。

“我想不至于要打到武陵来，纵是真的有什么事，这末个小城，有什么必争之处，满城风雨，也不过庸人自扰。”这是曼贞的意见。这个意见也稳定了于三太太的心，于是她也说：

“刀兵也许有的。王姑妈，说不定那些话应验了，不是说要赶走满清么，那要打也总往京里去，怕隔我们这里还远得很，真不必怕，你说是不是？”

经她们这末一说，家里也就平平安安过了好几天。可是在有一个黄昏的时候，老于又指手划脚在后院里说了起来：

“看呀！看见没有，远得很，那边，光拖得有两尺长……”

“噎，看见了，真的……”

天的西方，正挂着一个异样的星群，紧紧的挤着一团，成一个尖锐的三角形，这个星的出现，又动摇了全城的人心。已经发现了三天了，一天已比一天近了，而且大了。

“告诉太太去。明天一定还有的，一定还要近些。去，告诉太太去！”

小孩们也跟着看见了。是那末拖着尾巴的一颗奇异的星，然而一定是怕人的星。大人们口里不说，心里也惊奇着。

每天一到黄昏，一天比一天出现得迟，家里的人便都要站在院子里的东方角上，恐慌的望着那颗近拢来了的星。现在已经是看得清清楚楚的了。有一个大星在前面，密密的团在它后边的是无数千万的小星，看不清，只透露着一条河路似的白光成一个大扫帚形横挂在天上，已经有二尺多长了。每天这末出现一会儿，就又不见了。这颗星带来了无限的神奇在每一个人的脑中。又正当这谣言四布的当儿，于是谣言就更多了。

曼贞也跟着大家看那颗星，不过在看完之后，便要同孩子们谈一阵，谈她所仅仅知道的一点简单的天文常识。孩子们听着，才慢慢的不怕起来，却是更奇怪了，常常问一些使人答不出的问题。

这颗巨大的怪异的星，一直在天上出现了八天，忽然便不见了。孩子们在院子里等了好久，有点失望起来，便又缠着姑妈问，却正在这个当儿，传来了大门上的铜环用力的击着的声音。这是不常有的敲门的声音，怎么响得连里面都听到了。坐在院子里的人都怔住了。

“老于不在外面么？”于三太太急忙的问。

接着听到一群脚步声杂乱的朝里面跑了来。孩子们都躲到了大人身边，大人们也都站起来了。

“张妈！你走到前边看看去！”曼贞也赶着吩咐。

“呀”的腰门一声响，门便推开了，走进一群人来，在微弱的从堂屋里射出来的灯光下看出好像是一群女人，于三太太慌着厉声问道：

“做什么的？怎么直闯进来！”

那群人忽然挤着不动了，从里面才又吐出一个战抖的声音来：

“三嫂子！曼贞姐在家么？……”

“啊！原来是你们，怎么回事？快进来坐。”

急遽的跳着的心，才又平下来。她们把她们让在堂屋里坐着，剔亮了灯，又点上了一盏堂屋当中垂着的白色保险煤油灯。杨毅她们慢慢的诉说着她们的惊恐。

从吃晚饭前的时候，麻阳婆便跑来报告，说是有许多流氓要起事了，先占女学堂，就在今夜动手。后来开饭的当儿，厨房从饭窗户里也把这事告诉了麻阳婆，说是千真万确的。她们便差麻阳婆到隔壁去问，堂长又不在，又差人到堂长家里去，堂长又不在家。她们大家都不敢留在后边，全挤在前边，听有什么动静，本想不信那些谣言的，可是在八点钟的时候，学堂的一个老教员却跑来了，说怕真的有这回事，要她们赶急离开学堂，找个地方躲躲。于是她们马上就来了，连一件换洗的衣服都没有拿。

“门外边我看见有几个流氓张张望望，”不知是谁抢着补说了。

“今天白天有几个女人跑到学堂里来过，问她找什么人，她说看看，怕就是奸细，探路的，”又有谁也赶着说了，声音还带着余惊。

这夜大家都兴奋极了。在临时替她们预备的房间里，曼贞也陪着她们，几乎讨论到了天亮。

第二天一早便打发了人去探问，学堂里一点事也像没有发生过，看门的麻阳婆正用一把竹扫帚扫院子里的落叶。她看着于家打发去的人说道：

“唉，昨夜真把那些小姐们骇死了，知道是些什么该死的人造出来的谣言。”

听到没有事，大家都有点惭愧，却又含点失望，笑嬉嬉的吃过了饭又回学校去。可是谣言还是天天的来，夜夜都不敢睡好。而堂长王宗仁却反而宣布了临近了的开学日期延迟一个月，这样，那些住在学堂里的学生们，便再也不肯留在那里，匆匆忙忙都设法回去了。

曼贞便也到金先生家里去过一次，特意打听这事，程仁山不在家，金先生也只说：

“怕革命党要起事了，有的说在南京，有的说在广东，有的说在汉口，不过我们这里也许不怕吧。假如就有什么事，总也不要紧，城里共总不到两百个兵，洋枪还不知有没有。你们住的地方又不当冲，是后街，我想不要紧。谣言讨厌。”

大姑太太也说不要紧，又跟着她回来住了一天。

可是街上有人搬家了。河里的船价涨了。

于云卿也来了信，说要回家来，详细的理由一句也没有写。

曼贞又买了几天的报回来看，也还是看不出端倪。心想事还隔得远，便又丢开了，可是于三太太又去了来说：

“我们隔壁人家今天也下乡去了。他爹不知那天才回。就是小孩太多了。”

老姪少奶奶已经早下乡去了，她有两个儿子，一个住在城里，一个住在乡下，她已经跟着儿子孙子坐船走了，也没有来通知这位婶娘，莫说接她们去住，因为于云卿在乡下是没有房子的。

三姑太太也跑回来，问她们要不要一块走，因为她家里的老太太和瞎子老爷都要下乡去住，她们预备住在庄屋上，那里的房子还算大。

于三太太是不想走的，因为她想一切都等到云卿回来再说，而且她们乡下没有住屋，也只有庄屋，有两处庄屋听说是大的，可是一定脏得很，她不愿去。所以三姑太太的一家，在第二天便也走了。

街上一天一天的空了起来。城门挨黑就关了。无形之中又加了恐慌。曼贞便同于三太太商量好，写了一封信，差了一个人到灵灵溪去，假如风声再坏时，她们也只好预备一下，实在不行的时候，她们便上灵灵溪去，这个计划是邀得赞同了。她们便等着一天比一天坏的消息，和等着该到家而还没有到家的云卿。

二姪少爷也雇好船，一家人下乡去住，他来过一次，说是接她们一块儿去，但是听说她们预备到灵灵溪去，也就没有坚执他的意见，而先走了。

据说城里是有革命党，还有好些流氓混在一起，而且还有人亲眼看见从洋人的船上装运得有洋枪，子弹，说是只要听到一声外边起事，就到处响应。不只一处是这样，省城还要闹得利害。这样的传说，使曼贞也信起来了，她便又同于三太太商量。她们都很想再去找程仁山打听一下，却又料到得不到真话的。于云卿的不回，也使他们疑心。她们一直到谣言最利害的那天，才算决定了曼贞先带着珠儿三姊妹和小菡两姊妹，二个丫头，一个奶妈，一个老妈还有老于先动身往灵灵溪去，过几天于三太太看情形再说，也许云卿要在这几天到家。

可是城里的轿行都空了，喊不到人，价钱已经涨到了三倍，轿夫也添了两倍，却还是不够，她们只好又等着。正好这天于云卿的大佃户刘家的两兄弟都进城来看她们，便用他们叫来的船，把曼贞和一群孩子在最后的一天，就是说起事响应武汉的那头一天清晨载着到前乡的一个叫着刘家坪的小村里去了。那里离城里有五十里路。

就在那天的夜晚，果真起了事，就在考棚那边，大约是那里传来一阵零落的洋枪声，于三太太紧紧的抱着意儿坐在堂屋里望那边渐渐红上来了的天空，那里是烧起来了。过了一阵又没有听到什么声响了。可是她一夜还是没有睡，丫头老妈也不敢睡。这条街上已经怕只有三家是没有走空的。

第二天街上悄悄的，也没有人家敢于开门。但是知县官已经在昨夜逃跑了。兵死了几个，跑了一些，其余的都投降了。也死了一些流氓，剩下的也散了，几个还没有下乡去的老缙绅，维持了这城里的次序。里面夹了几个剪发的年轻绅士，大约就是革命党吧。

吃过了中饭，有一个人来敲了于家的门。小心谨慎的放了他进来，原来他是大姑太太家的当差，他来这里特意是为的那恶劣消息的传达，因为他们的二老爷，程仁山在前夜里，就在考棚那地方，被一颗子弹嵌进左肋里，抬回家来不到一个钟头便死了。

编者言

关于丁玲女士的这部《母亲》，编者有几句话得向读者说明：

照作者预定计划，这部书的篇幅，大约有三四十万字，从她母亲的时代写到作者自己的。及后编入了良友文学丛书，因为篇幅关系，作者便变更了原定的计划，把这部长篇分成三部曲。第一部写辛亥革命时代，因为故事以作者的母亲为中心，便用《母亲》作书名；以后第二部第三部都用别一个书名。故事虽然联系着，但每部书的本身，都是可以充分独立的。

作者从去秋开始写作，随时地把原稿寄来，到本年四月中旬，我们便收到了近十万字，并且签名的封里纸也寄来了。不意在五月的十四日便风传了作者失踪的消息，自后就不再有其他的原稿寄来。现在为了维持我们整部丛书的出版计划起见，第一部《母亲》依照预定方针，列入本丛书第七种，我们当然也与读者同样热诚地希望这部伟大的杰作能有完成的一天。

编者志

图书在版编目（CIP）数据

母亲 / 丁玲著. — 北京：中国国际广播出版社，
2013.1
（良友文学丛书）
ISBN 978-7-5078-3551-9

Ⅰ.①母… Ⅱ.①丁… Ⅲ.①长篇小说－中国－
现代 Ⅳ.①I246.5

中国版本图书馆CIP数据核字（2012）第265637号

母　亲

著　　者	丁　玲
责任编辑	张娟平
版式设计	国广设计室
责任校对	徐秀英
出版发行	中国国际广播出版社（83139469　83139489[传真]）
社　　址	北京复兴门外大街2号（国家广电总局内） 邮编：100866
网　　址	www.chirp.com.cn
经　　销	新华书店
印　　刷	环球印刷（北京）有限公司
开　　本	620×920　1/16
字　　数	85千字
印　　张	11
版　　次	2013年1月 北京第一版
印　　次	2013年1月 第一次印刷
书　　号	ISBN 978-7-5078-3551-9/I・376
定　　价	36.00元

CRI 中国国际广播出版社
欢迎关注本社新浪官方微博
官方网站 www.chirp.cn

人文阅读与收藏·良友文学丛书

(1)	鲁　迅　编译	竖　琴
(2)	何家槐　著	暧　昧
(3)	巴　金　著	雨
(4)	鲁　迅　编译	一天的工作
(5)	张天翼　著	一　年
(6)	篷　子　著	剪影集
(7)	丁　玲　著	母　亲
(8)	老　舍　著	离　婚
(9)	施蛰存　著	善女人行品
(10)	沈从文　著	记丁玲
	沈从文　著	记丁玲续集
(11)	老　舍　著	赶　集
(12)	陈　铨　著	革命的前一幕
(13)	张天翼　著	移　行
(14)	郑振铎　著	欧行日记
(15)	靳　以　著	虫　蚀
(16)	茅　盾　著	话匣子
(17)	巴　金　著	电
(18)	侍　桁　著	参差集
(19)	丰子恺　著	车箱社会
(20)	凌叔华　著	小哥儿俩
(21)	沈起予　著	残　碑
(22)	巴　金　著	雾
(23)	周作人　著	苦竹杂记　（暂缺）